THEODORE BOONE

Du même auteur

La Confession, Robert Laffont, 2011.
Non coupable, Pocket, 2011.
Theodore Boone, Enfant et justicier, Oh ! Éditions, 2010.
Chroniques de Ford County, Robert Laffont, 2010.
L'Infiltré, Robert Laffont, 2009, et Pocket.
La Revanche, Robert Laffont, 2008, et Pocket.
Le Contrat, Robert Laffont, 2008, et Pocket.
L'Accusé, Robert Laffont, 2007, et Pocket.
Le Dernier Match, Robert Laffont, 2006, et Pocket.
Le Clandestin, Robert Laffont, 2006, et Pocket.
Le Dernier Juré, Robert Laffont, 2005, et Pocket.
La Transaction, Robert Laffont, 2004, et Pocket.
Le Couloir de la mort, Pocket, 2004.
La Firme, Robert Laffont, 2003, et Pocket.
L'Héritage, Robert Laffont, 2003, et Pocket.
L'Affaire Pélican, Robert Laffont, 2002, et Pocket.
La Dernière Récolte, Robert Laffont, 2002, et Pocket.
Pas de Noël cette année, Robert Laffont, 2002, et Pocket.
L'Engrenage, Robert Laffont, 2001, et Pocket.
Le Testament, Robert Laffont, 2000, et Pocket.
L'Associé, Robert Laffont, 1999, et Pocket.
La Loi du plus faible, Robert Laffont, 1999, et Pocket.
Le Maître du jeu, Robert Laffont, 1998, et Pocket.
Le Client, Robert Laffont, 1997, et Pocket.
L'Héritage de la haine, Robert Laffont, 1997, et Pocket.
L'Idéaliste, Robert Laffont, 1997, et Pocket.
Droit de tuer ? Non coupable, Robert Laffont, 1996, et Pocket.

John Grisham

THEODORE BOONE
L'Enlèvement

Traduit de l'anglais (États-Unis)
par Emmanuel Pailler

roman

ÉDITIONS

ISBN : 978-2-36107-009-0

1.

Le rapt d'April Finnemore eut lieu au milieu de la nuit, entre 21 h 15, heure où elle parla pour la dernière fois à Theo, et 3 h 30 du matin, quand sa mère entra dans sa chambre et s'aperçut qu'elle avait disparu. L'enlèvement semblait avoir été précipité ; celui qui avait emmené April ne lui avait pas donné le temps de prendre ses affaires. Elle avait laissé son ordinateur portable. Sa chambre était assez bien rangée, mais quelques vêtements étaient éparpillés. Il était difficile de dire si elle avait pu faire son sac. Sans doute que non, d'après la police. Sa brosse à dents se trouvait encore sur le lavabo, et son pyjama gisait par terre : elle avait au moins pu se changer. Sa mère, entre crises de larmes et divagations, déclara aux agents que le polo bleu et blanc et les baskets préférées de sa fille avaient disparu du placard.

La police écarta rapidement l'hypothèse d'une simple fugue. Sa mère les assura qu'April n'avait aucune raison d'en faire une, et de toute façon elle n'avait pas emporté les affaires nécessaires.

Une rapide inspection de la maison ne révéla aucune trace d'effraction. Les fenêtres étaient toutes fermées, comme les trois portes du rez-de-chaussée. Le ravisseur avait pris soin de refermer à clé derrière lui. Après avoir étudié les lieux et écouté Mrs Finnemore pendant une heure, la police décida de parler à Theo Boone. Après tout, c'était le meilleur ami d'April, et ils bavardaient généralement le soir au téléphone ou sur Internet, avant de se coucher.

Le réveil à affichage numérique posé sur leur table de nuit indiquait 4 h 33 quand le téléphone sonna chez Mr et Mrs Boone. Woods Boone, qui avait le sommeil plus léger, décrocha, tandis que Marcella Boone se retournait, en se demandant qui pouvait appeler à une heure pareille. Lorsqu'elle entendit son mari dire « Oui, monsieur l'agent », elle bondit hors du lit. En écoutant la fin de la conversation, elle comprit vite que c'était en rapport avec April Finnemore ; mais, quand son mari ajouta « Bien sûr, nous serons là d'ici un quart d'heure », elle se posa des questions. Dès qu'il raccrocha, elle lui demanda :

— Qu'est-ce qu'il y a, Woods ?

— Apparemment, April a été enlevée, et la police voudrait parler à Theo.

— Je doute qu'il l'ait enlevée.

— Eh bien, s'il n'est pas dans sa chambre, nous allons avoir un problème.

Mais Theo était bien dans sa chambre. Il dormait à poings fermés, n'ayant pas entendu la sonnerie du téléphone. En enfilant son jean et un polo, il expliqua à ses parents qu'il avait appelé April sur son portable la veille au soir, et qu'ils avaient bavardé quelques minutes, comme d'habitude.

Tandis qu'ils traversaient Strattenburg dans la pénombre d'avant l'aube, Theo ne pensait qu'à April, à sa vie de famille sinistre, à ses parents en guerre, à son frère et à sa sœur traumatisés, qui s'étaient tous deux enfuis dès que possible. April était la plus jeune des trois enfants, nés de deux personnes qui n'avaient rien à faire en famille. D'après April elle-même, ses deux parents étaient fous, et Theo était bien d'accord. Tous deux avaient été condamnés pour usage de stupéfiants. Sa mère élevait des chèvres dans une petite ferme des environs et fabriquait du fromage – du mauvais fromage, selon Theo. Elle le vendait en ville dans un vieux corbillard peint en jaune, son singe-araignée installé sur le siège passager. Le père d'April, un hippie vieillissant, jouait toujours dans un mauvais groupe amateur avec une bande d'autres reliques des années 1980. Il n'avait pas de vrai travail et était souvent parti pendant des semaines. Les Finnemore étaient en état de séparation permanent, toujours sur le point de divorcer.

April confiait à Theo des choses qu'il jurait de ne jamais répéter.

La maison des Finnemore ne leur appartenait pas ; c'était une location, qu'April détestait parce que ses parents n'avaient aucun intérêt à l'entretenir. Elle se trouvait dans un vieux quartier de Strattenburg, dans une rue miteuse bordée d'autres bâtisses d'après-guerre qui avaient connu des jours meilleurs. Theo n'y était allé qu'une fois, pour un anniversaire peu glorieux que la mère d'April avait organisé deux ans plus tôt. La plupart des invités n'étaient pas venus, leurs parents le leur ayant interdit. Telle était la réputation de la famille Finnemore.

Lorsque les Boone arrivèrent, deux voitures de police stationnaient dans l'allée. De l'autre côté de la rue, les voisins les regardaient depuis leur terrasse.

Mrs Finnemore – qui se prénommait May et avait baptisé ses enfants April, March et August – était assise dans le canapé du salon et s'entretenait avec un policier en uniforme quand les Boone entrèrent, assez gênés. On fit rapidement les présentations ; Mr Boone n'avait jamais vu la mère d'April.

— Theo ! s'écria théâtralement Mrs Finnemore. Quelqu'un a enlevé notre April !

Là-dessus, elle éclata en sanglots et l'étreignit. Theo se prêta à ce rituel à contrecœur, par respect. Comme toujours, la mère d'April portait un large vêtement flottant marron clair, taillé dans une sorte de toile de jute, qui s'apparentait plus à une tente qu'à une robe. Ses longs cheveux grisonnants étaient noués en queue-de-cheval. Aussi folle qu'elle fût, Theo avait toujours été frappé par sa beauté. Elle ne faisait aucun effort pour se mettre en valeur – contrairement à sa mère –, mais certaines choses ne peuvent se cacher. Très créative, Mrs Finnemore aimait la peinture et la poterie, en plus de son fromage de chèvre. April avait hérité des bons gènes : les beaux yeux, et la sensibilité artistique.

Une fois Mrs Finnemore calmée, Mrs Boone s'adressa au policier :

— Qu'est-ce qui s'est passé ?

Il lui fit un résumé rapide du peu qu'il savait à ce stade.

— Tu lui as parlé, hier soir ? demanda-t-il ensuite à Theo.

C'était Bolick. Le sergent Bolick. Theo l'avait déjà vu au tribunal. D'ailleurs, Theo connaissait beaucoup de policiers à Strattenburg, ainsi que la plupart des avocats, des juges, des huissiers et des greffiers.

— Oui, monsieur, lui répondit Theo. À 21 h 15, d'après le journal d'appels de mon téléphone. On s'appelle presque tous les soirs avant d'aller au lit.

Bolick avait la réputation d'être un petit malin, Theo n'était pas prêt à lui faire confiance.

— Comme c'est mignon. Est-ce qu'elle a dit quoi que ce soit qui pourrait nous aider ? Elle avait des soucis ? Peur ?

Theo se sentit aussitôt coincé. Impossible de mentir à un policier, mais impossible aussi de répéter un secret qu'il avait promis de garder pour lui. Il resta donc dans le vague :

— Non, ça ne me dit rien…

Mrs Finnemore avait cessé de pleurer ; les yeux brillants, elle fixait Theo,

— De quoi vous avez parlé ? insista le sergent Bolick.

Un policier en civil pénétra dans la pièce. Il était tout ouïe.

— Les trucs habituels : l'école, les devoirs… Je ne me rappelle pas tout.

Theo avait assisté à assez de procès pour savoir qu'il était la plupart du temps préférable de rester dans le vague, et que « Je ne me souviens pas » était tout à fait acceptable dans bien des cas.

— Vous avez tchatté sur le Net ? demanda l'inspecteur.

— Non, monsieur, pas hier soir. Juste au téléphone.

April et lui communiquaient souvent par Facebook ou par SMS, mais Theo n'en souffla mot. « Répondez à la question qui vous est posée, pas plus. » Il avait entendu sa mère donner bien des fois ce conseil à ses clients.

— Des traces d'effraction ? s'enquit Mr Boone.

— Aucune, répondit Bolick. Mrs Finnemore dormait à poings fermés dans la chambre du rez-de-chaussée, elle n'a rien entendu, et puis à un moment elle s'est levée pour voir si April était bien endormie. C'est là qu'elle s'est aperçue de sa disparition.

Theo se tourna vers Mrs Finnemore, qui le regardait d'un air tendu. Theo savait la vérité, et elle savait qu'il la savait. Le problème, c'était que Theo ne pouvait rien dire, parce qu'il en avait fait la promesse à April.

La vérité, c'était que ces deux derniers soirs Mrs Finnemore avait été absente de la maison. April y avait dormi seule, terrorisée, toutes les issues verrouillées à double tour, une chaise coincée contre la porte de sa chambre, une vieille batte de base-ball à côté du lit, le téléphone à portée de la main – avec le numéro de la police en mémoire –, et sans personne à qui parler, sauf Theodore Boone, qui avait juré de n'en souffler mot. Le père d'April était parti en tournée avec son groupe. Sa mère prenait des cachets et perdait la tête.

— Est-ce qu'April a parlé de s'en aller, ces derniers jours ? demanda l'inspecteur à Theo.

Oh, oui ! Sans arrêt. Elle veut partir à Paris et y étudier les beaux-arts. Elle veut partir à Los Angeles vivre avec March, sa grande sœur. Elle veut partir à Santa Fe et devenir peintre. Elle veut partir, point à la ligne.

— Ça ne me dit rien, répondit à voix haute Theo – ce qui était la vérité, car « ces derniers jours » pouvait signifier n'importe quoi.

La question était trop vague pour appeler une réponse précise de sa part. Theo l'avait vu bien des fois en procès. Le sergent Bolick et l'inspecteur posaient des questions beaucoup trop floues. Pour l'instant, ils n'avaient pas réussi à le coincer, et il n'avait pas menti.

May Finnemore, suffoquée de larmes, en faisait tout un spectacle. Bolick et l'inspecteur interrogèrent Theo sur les autres amis d'April, les problèmes qu'elle pouvait avoir, si elle se sentait bien à l'école, et ainsi de suite. Theo répondit sans hésiter, ni s'étendre.

Une femme policier en uniforme descendit dans le bureau et s'assit à côté de Mrs Finnemore, de nouveau désemparée et dépassée par la situation. Le sergent Bolick fit signe aux Boone de le suivre à la cuisine. Ils obéirent, et l'inspecteur les rejoignit. Bolick jeta à Theo un regard perçant et lui demanda à voix basse :

— Est-ce que la fille a déjà fait allusion à un parent prisonnier en Californie ?

— Non, monsieur.

— Tu es sûr ?

— Évidemment que je suis sûr.

— Qu'est-ce que tout cela signifie ? coupa Mrs Boone.

Elle n'avait pas l'intention d'assister en silence à cet interrogatoire brutal. Mr Boone semblait lui aussi prêt à bondir.

L'inspecteur sortit une photo noir et blanc grand format : le portrait d'un personnage d'aspect douteux, qui donnait tout à fait l'impression d'un délinquant endurci.

— Ce type s'appelle Jack Leeper, poursuivit Bolick. Un minable fini. Lointain cousin de May Finnemore, et encore plus lointain d'April. Il a grandi par ici, mais il est parti il y a longtemps. Il est devenu un délinquant professionnel, petit voleur, vendeur de drogue, etc. Il s'est fait arrêter en Californie pour enlèvement il y a dix ans ; il a été condamné à perpétuité, une peine incompressible. Leeper s'est évadé il y a deux semaines. Cet après-midi, on nous a informés qu'il pourrait être dans le coin.

Theo observa le visage sinistre de Jack Leeper. Un malaise l'envahit. Si ce truand avait pris April, elle était dans de sales draps.

— Hier soir, vers 19 h 30, reprit Bolick, notre Leeper est entré dans l'épicerie coréenne à quatre rues d'ici, pour s'acheter des cigarettes et de la bière. La caméra de surveillance ne l'a pas raté. Pas le truand le plus malin du monde. Donc, maintenant, on est sûr qu'il est dans le coin.

— Pourquoi est-ce qu'il enlèverait April ? lâcha Theo, la bouche sèche, les genoux flageolants.

— D'après les autorités californiennes, on a retrouvé des lettres d'April dans sa cellule. Ils correspondaient. Elle avait sans doute de la peine pour lui, vu qu'il doit rester en prison à vie. Donc, elle a commencé à lui écrire. On a fouillé sa chambre et on n'a trouvé aucun courrier de lui.

— Elle ne t'en a jamais parlé ? demanda l'inspecteur à Theo.

— Jamais, répondit Theo.

Il savait que, dans la famille bizarre d'April, il y avait beaucoup de secrets, beaucoup de choses qu'elle gardait pour elle.

Au grand soulagement de Theo, l'inspecteur rangea la photo.

Il ne voulait plus jamais revoir ce visage. Mais, il se doutait qu'il avait peu de chances de l'oublier.

Le sergent Bolick reprit :

— On pense qu'April connaissait son ravisseur. Sinon, comment expliquer l'absence d'effraction ?

— Vous croyez qu'il pourrait lui faire du mal ? demanda Theo.

— On n'a aucun moyen de le savoir, Theo. Cet homme a passé la plus grande partie de sa vie en prison. Son comportement est imprévisible.

— Si April est avec lui, elle nous contactera, affirma Theo. Elle trouvera un moyen.

— Dans ce cas, fais-le-nous savoir.

— Comptez sur moi.

— Excusez-moi, messieurs, intervint Mrs Boone, mais je croyais que, dans ce genre d'affaires, on enquêtait d'abord sur les parents. Les enfants qui disparaissent sont presque toujours enlevés par l'un de leurs parents, non ?

— C'est exact, dit Bolick. D'ailleurs, nous recherchons son père. Mais sa mère dit qu'elle lui a parlé hier après-midi et qu'il était avec son groupe, quelque part en Virginie-Occidentale. La mère d'April pense vraiment qu'il n'a rien à voir avec ça.

— April ne supporte pas son père, lança Theo, qui regretta aussitôt sa phrase.

Ils discutèrent encore quelques minutes, mais la conversation était manifestement terminée. Les policiers remercièrent les Boone d'être venus et promirent de les tenir au courant par la suite. Les parents de Theo indiquèrent qu'ils seraient au bureau toute la journée si on avait besoin d'eux pour quoi que ce soit. Theo, bien sûr, serait à l'école.

En repartant, Mrs Boone commenta :

— Pauvre enfant. Enlevée dans sa chambre.

Mr Boone, qui conduisait, jeta un œil par-dessus son épaule :

— Ça va, Theo ?

— Je crois, dit-il.

— Évidemment que ça ne va pas, Woods. Son amie vient d'être enlevée.

— Je peux répondre tout seul, maman, coupa Theo.

— Mais bien sûr, mon chéri. Tout ce que j'espère, c'est qu'on la retrouve, et vite.

La lumière pointait à l'est. En traversant le quartier résidentiel, Theo regardait par la fenêtre, cherchant le visage dur de Jack Leeper. Mais il n'y avait personne. Les maisons s'éclairaient. La ville se réveillait.

— Il est presque six heures, dit Mr Boone. Et si on allait chez Gertrude manger quelques-unes de ses gaufres mondialement célèbres ? Theo ?

— Ça me va, dit Theo, même s'il n'avait aucun appétit.

— Parfait, ajouta Mrs Boone.

Mais tous trois savaient qu'elle prendrait juste un café.

2.

« Chez Gertrude » était un vieux snack, situé six rues à l'ouest du tribunal et trois au sud du poste de police, dans l'artère principale. Gertrude prétendait servir des gaufres aux noix de pécan célèbres dans le monde entier, mais Theo avait souvent eu des doutes. Est-ce qu'en Grèce ou au Japon les gens connaissaient vraiment Gertrude et ses gaufres ? Il n'en était pas si sûr. Au collège, il avait des amis qui n'avaient jamais entendu parler de Gertrude, alors qu'ils vivaient en plein Strattenburg. À quelques kilomètres de la ville, sur la grand-route, se trouvait une ancienne cabane en rondins avec une pompe à essence et un large panneau annonçant : *Glaces à la menthe de Dudley, célèbres dans le MONDE ENTIER*. Plus jeune, Theo avait naturellement supposé qu'en ville tout le monde ne pensait qu'à ces glaces et en parlait sans arrêt. Sinon, comment seraient-elles devenues mondialement célèbres ? Puis un jour, en classe, la discussion avait bifurqué sur l'import-export. Theo avait fait remarquer que Mr Dudley et sa glace à la menthe devaient exporter beaucoup pour être aussi connus. À sa stupéfaction, un seul de ses camarades en avait entendu parler. Peu à peu, Theo avait compris que cette glace n'était sans doute pas aussi connue que Mr Dudley le prétendait, et il avait saisi le concept de publicité mensongère.

Depuis lors, Theo se méfiait beaucoup de ces grandes déclarations.

Mais, ce matin, il n'arrivait pas à s'intéresser aux gaufres, ni aux glaces, célèbres ou pas. Il était bien trop préoccupé par April et par le visage sournois de Jack Leeper. Les Boone étaient assis à une petite table dans le snack bondé. L'air était saturé d'odeurs de bacon frit et de café fort, et Theo s'aperçut vite que tout le monde parlait de l'enlèvement d'April Finnemore. À leur droite, quatre policiers en uniforme discutaient bruyamment de la possibilité que Leeper se trouve dans les parages. À leur gauche, une table d'hommes à cheveux gris s'exprimait avec grande autorité sur différents sujets, mais avec un intérêt particulier pour le « kidnapping », comme ils l'appelaient.

Le menu était élaboré autour du mythe des « Gaufres mondialement célèbres aux noix de pécan » de Gertrude. Theo commanda des œufs brouillés et une saucisse, en guise de protestation silencieuse contre la publicité mensongère. Son père prit les gaufres, sa mère une tartine au blé sec.

Dès le départ de la serveuse, Mrs Boone regarda Theo droit dans les yeux et lança :

— Allez, avoue. Il y a autre chose.

Theo était toujours stupéfait de la facilité avec laquelle sa mère lisait dans ses pensées. S'il ne racontait que la moitié d'une histoire, elle réclamait immédiatement l'autre moitié. Quand il inventait un bobard, rien de sérieux, parfois juste pour rire, elle se jetait dessus d'instinct et le démontait. Theo évitait une question directe... et elle lui en renvoyait trois de plus. Theo pensait qu'elle avait acquis ce talent après toutes ces années passées comme avocate spécialisée en affaires de divorce. Sa mère disait souvent qu'elle n'attendait jamais la vérité de ses clients.

— Je suis d'accord, dit Mr Boone.

Theo ignorait s'il l'était vraiment, ou s'il prenait juste le parti de sa femme, comme souvent. Mr Boone était avocat spécialisé dans l'immobilier ; il n'allait jamais au tribunal. Bien qu'observateur, il avait en général un peu de retard sur Mrs Boone quand il s'agissait de tirer les vers du nez à Theo.

— April m'a dit de n'en parler à personne, répliqua Theo.

Ce à quoi sa mère rétorqua aussitôt :

— Et, à cet instant, April a de gros ennuis, Theo. Si tu sais quelque chose, dis-le, et tout de suite.

Ses yeux s'étrécirent, elle haussa les sourcils. Theo savait où cela le menait, et en fait il savait qu'il valait mieux dire la vérité à ses parents.

— Mrs Finnemore n'était pas chez elle quand j'ai parlé à April hier soir, dit Theo, tête basse, regard fuyant. Et elle n'était pas chez elle le soir d'avant. Elle prend des cachets et pète les plombs. April est livrée à elle-même.

— Où est son père ? demanda Mr Boone.

— Parti en tournée avec son groupe. Depuis une semaine.

— Il n'a pas de travail ? s'enquit Mrs Boone.

— Il vend et achète des meubles anciens. April dit qu'il gagne quelques sous, puis qu'il disparaît avec son groupe une semaine ou deux.

— La pauvre, soupira Mrs Boone.

— Vous allez le dire à la police ? demanda Theo.

Son père et sa mère sirotèrent lentement leur café, échangeant des regards interrogateurs. Ils conclurent qu'ils en discuteraient plus tard, au bureau, quand Theo serait à l'école. Manifestement, Mrs Finnemore mentait à la police, mais les Boone hésitaient à se mêler de ces histoires. Ils doutaient qu'elle ait quoi que ce fût à voir avec l'enlèvement. Elle semblait bien trop éplorée. Elle se sentait sans doute coupable de ne pas avoir été là alors que sa fille disparaissait.

Les commandes arrivèrent et la serveuse remplit de nouveau leurs tasses. Theo prit du lait.

La situation était très compliquée, et Theo était soulagé que ses parents s'impliquent et partagent ses inquiétudes.

— Autre chose, Theo ? demanda son père.

— Rien qui me vienne à l'esprit.

— Quand tu lui as parlé hier soir, est-ce qu'elle avait peur ? insista sa mère.

— Oui. Elle avait vraiment peur et s'inquiétait aussi pour sa mère.

— Pourquoi est-ce que tu ne nous l'as pas dit ? demanda Woods Boone.

— Parce qu'elle m'avait fait promettre de ne pas le dire. April a beaucoup de problèmes à gérer, et elle est très discrète. Elle est aussi gênée par sa famille, et elle essaie de la protéger. Elle espérait que sa mère arrive d'une minute à l'autre. Et ç'a été quelqu'un d'autre, j'imagine.

Theo perdit soudain tout appétit. Il aurait dû aider April davantage. Il aurait dû la protéger en en parlant à ses parents ou à un professeur. Quelqu'un l'aurait écouté. Il aurait pu faire quelque chose. Mais April lui avait fait jurer le silence, et elle lui répétait sans cesse qu'elle était en sécurité, que la maison était bien fermée, avec plein de lumières allumées, et ainsi de suite.

Sur le chemin du retour, Theo déclara :

— Je ne suis pas sûr de pouvoir aller à l'école aujourd'hui.

— Je m'y attendais, répondit son père.

— Quelle est ta raison, cette fois-ci ? enchaîna sa mère.

— Eh bien, pour commencer, je n'ai pas dormi assez cette nuit. On est debout depuis quand ? Quatre heures et demie ?

— Donc, tu veux rentrer te coucher ? conclut son père.

— Je n'ai pas dit ça, mais je doute de pouvoir rester éveillé à l'école.

— Je parie que non. Ta mère et moi allons au travail, et nous n'avons pas d'autre choix que rester éveillés.

Theo faillit parler de la sieste quotidienne de son père : un somme revigorant à son bureau, porte fermée, en général vers 15 heures. Tous ceux qui travaillaient au cabinet d'avocats Boone & Boone savaient que Woods était à l'étage, chaussures ôtées, les pieds sur la table, le téléphone coupé, ronflant une demi-heure tous les après-midi.

— Tu vas tenir bon, j'en suis sûr, ajouta son père.

En ce moment, Theo avait un problème : il essayait d'éviter l'école. Migraines, toux, intoxication alimentaire, foulures, aérophagie : Theo avait tout essayé et réessaierait encore. Il ne détestait pas l'école ; en fait, il s'y plaisait la plupart du temps, une fois qu'il y était. Il avait de bonnes notes et s'entendait bien avec ses amis. Mais Theo voulait aller au tribunal, observer les procès et les audiences, écouter les avocats et les juges, bavarder avec les policiers, les greffiers et les concierges. Theo les connaissait tous.

— J'ai une autre raison de ne pas aller à l'école, dit Theo, tout en sachant que la partie était perdue.

— On t'écoute.

— Bon, il y a une personne disparue à retrouver, et je dois apporter mon aide. Combien de fois ça arrive, ce genre de recherche, à Strattenburg ? C'est d'autant plus important que ça concerne une très bonne amie à moi. Il faut que j'aide à retrouver April. Elle attendrait ça de moi. En plus, impossible que je me concentre à l'école. Perte de temps totale. Je ne penserai qu'à April.

— Bien essayé, dit Mr Boone.

— Pas mal, ajouta Mrs Boone.

— Écoutez, je suis sérieux. Il faut que je sorte la chercher.

— Je ne saisis pas, fit le père de Theo qui avait très bien compris. (Il prétendait souvent ne pas comprendre quand il discutait avec Theo.) Tu es trop fatigué pour aller à l'école, mais tu as assez d'énergie pour rechercher une disparue ?

— Je ne sais pas. En tout cas, pas question que j'aille à l'école.

Une heure plus tard, Theo garait son vélo devant le collège et y entrait à contrecœur, au moment où sonnait la cloche de 8 h 15. Dans le grand hall, trois camarades d'April lui tombèrent dessus ; elles voulaient qu'il leur dise s'il y avait du nouveau. Il leur répondit qu'il ne savait rien de plus que ce qu'il y avait dans le journal du matin.

Manifestement, tout le monde avait regardé les informations. On y avait présenté une photo scolaire d'April, ainsi que le portrait de Jack Leeper, en laissant fortement entendre qu'il s'agissait d'un kidnapping. C'était là que Theo ne comprenait plus. Un kidnapping (il avait vérifié dans le dictionnaire) impliquait en général une demande de rançon – de l'argent à payer pour la libération de la personne enlevée. Or, les Finnemore n'arrivaient même pas à régler leurs factures – comment auraient-ils pu trouver de grosses sommes pour libérer April ? Et il n'y avait encore aucune nouvelle des ravisseurs. D'après les émissions dont Theo se souvenait, en général la famille apprenait vite que les méchants détenaient leur enfant et désiraient un million de dollars pour le leur rendre en bonne santé.

Dans un autre reportage, Mrs Finnemore apparaissait en pleurs devant sa maison. La police en disait le moins possible, se contentant de déclarer qu'elle suivait toutes les pistes. Un voisin affirma que son chien avait aboyé vers minuit, ce qui était toujours un mauvais présage.

Les journalistes pouvaient s'agiter tant qu'ils voulaient, en vérité ils n'avaient malheureusement quasiment rien à ajouter à cette affaire de disparition.

Le professeur principal de Theo s'appelait Mr Mount. Il enseignait aussi l'éducation civique. Après avoir fait asseoir les garçons, il fit l'appel. Ils étaient présents tous les seize. Rapidement, la conversation s'orienta sur la disparition d'April, et Mr Mount demanda à Theo s'il avait du nouveau.

— Rien, répondit Theo, à la déception de ses camarades.

Theo était l'un des rares garçons qui parlaient à April. La plupart des élèves de leur âge, garçons et filles, appréciaient April mais avaient du mal à se lier avec elle. Elle était calme, habillée plutôt en garçon qu'en fille, ne s'intéressait ni aux dernières modes ni aux magazines de ragots pour adolescentes, et, comme tout le monde le savait, elle venait d'une famille bizarre.

La cloche sonna le premier cours, et Theo, déjà épuisé, se traîna en espagnol.

3.

La fin des cours sonna à 15 h 30. Une minute plus tard, Theo était sur son vélo, filant dans les ruelles pour éviter la circulation du centre. Il traversa la grand-rue en un éclair et salua un policier au carrefour, faisant la sourde oreille lorsque l'agent lui cria : « Ralentis, Theo ! » Il coupa par un petit cimetière et tourna dans Park Street.

Ses parents étaient mariés depuis vingt-cinq ans, et associés depuis vingt dans le petit cabinet Boone & Boone, situé au 415 Park Street, au cœur du vieux Strattenburg. Autrefois, le cabinet avait compté un autre membre, Ike Boone, l'oncle de Theo, mais celui-ci avait eu des ennuis et il avait dû partir. À présent, il n'y avait plus que deux associés, à parts égales : Marcella Boone au rez-de-chaussée, dans un bureau moderne et bien rangé où elle s'occupait surtout de divorces, et Woods Boone au premier étage, seul dans une grande pièce envahie d'étagères croulant sous les livres, avec ses piles de dossiers qui jonchaient le sol et sa pipe dont les volutes de fumée ondulaient au plafond. Pour finir, il y avait Elsa, qui répondait au téléphone, accueillait les clients, gérait le bureau, faisait un peu de dactylographie, et surveillait Juge, le chien ; Dorothy, une secrétaire spécialisée dans l'immobilier qui travaillait pour Mr Boone, s'occupant de tâches que Theo trouvait horriblement ennuyeuses, et Vince, l'assistant juridique de Mrs Boone.

Juge, un bâtard, était le chien de Theo, le chien de la famille et le chien du cabinet. Il passait ses journées au bureau, se glissant parfois de pièce en pièce pour surveiller les lieux, ou suivant un humain vers la cuisine où il attendait à manger. Mais, l'essentiel du temps, Juge somnolait sur un coussin près de la réception, où Elsa lui parlait chaque fois qu'elle tapait ses rapports.

Le dernier membre du cabinet était Theo, heureux de se dire qu'il était le seul garçon de treize ans de la ville à avoir son propre cabinet. Bien sûr, il était trop jeune pour être un véritable associé, mais il se rendait parfois utile. Il allait chercher des dossiers pour Dorothy et Vince. Il parcourait de longs documents à la recherche de mots ou d'expressions clés. Ses extraordinaires talents informatiques lui permettaient d'enquêter sur des questions juridiques et de trouver des données. Mais sa tâche préférée, et de loin, était de filer au tribunal pour y déposer des papiers du cabinet. Theo adorait le tribunal et rêvait du jour où il se tiendrait dans la grande salle imposante du premier étage pour y défendre ses clients.

À 15 h 40 pile, Theo laissa son vélo sur la terrasse étroite de Boone & Boone et prit son courage à deux mains : tous les jours, Elsa l'accueillait avec des embrassades étouffantes, un douloureux pinçon sur la joue et une inspection rapide de sa tenue. Theo ouvrit la porte, entra et reçut l'accueil prévu. Comme d'habitude, Juge l'attendait. Il bondit sur ses pattes et courut vers Theo.

— Je suis vraiment désolée pour April, lança Elsa.

On aurait pu croire qu'elle la connaissait personnellement, ce qui n'était pas le cas. Désormais, comme à chaque tragédie, tout le monde à Strattenburg connaissait April – ou prétendait la connaître – et ne tarissait pas d'éloges à son égard.

— Des nouvelles ? demanda Theo en grattant la tête de Juge.

— Rien. J'ai écouté la radio toute la journée, pas un mot, pas un signe. Ça s'est passé comment, à l'école ?

— Horrible. On n'a fait que parler d'April.

— Pauvrette...

Elsa inspecta la chemise puis le pantalon de Theo, qui se figea un instant. Tous les jours, elle l'observait rapidement, n'hésitant jamais à poser des questions du genre : « Elle est vraiment assortie à ton pantalon, cette chemise ? » ou « Tu ne la portais pas déjà il y a deux jours ? » Cela agaçait énormément Theo. Il s'en était plaint à ses parents, mais en vain. Elsa faisait pour ainsi dire partie de la famille, elle était une seconde mère pour Theo et, si elle lui posait toutes sortes de questions, c'était par affection.

D'après la rumeur, Elsa dépensait tout son argent en vêtements, et c'était certainement l'impression qu'elle donnait. Mais apparemment, ce jour-là, elle fut satisfaite de la tenue de Theo. Avant qu'elle n'ait pu ajouter un commentaire, Theo changea de sujet :

— Ma mère est là ?

— Oui, mais elle a un client. Mr Boone travaille.

C'était généralement le cas. La mère de Theo, quand elle n'était pas au tribunal, passait la plupart du temps avec ses clients, presque toutes des femmes qui *a)* voulaient divorcer, *b)* avaient besoin de divorcer, *c)* étaient en train de divorcer, ou *d)* souffraient des conséquences d'un divorce. C'était un travail difficile, mais Mrs Boone était réputée comme l'un des meilleurs avocats de la ville dans ce domaine. Theo en était fier. Il était également fier que sa mère encourage chaque nouveau client à consulter un conseiller conjugal pour sauver son mariage. Malheureusement, comme Theo l'avait déjà appris, certains mariages ne peuvent être sauvés.

Theo bondit dans l'escalier, Juge sur les talons. Il fit irruption dans le bureau spacieux et merveilleux de « Woods Boone – Avocat et conseiller juridique ». Son père était assis à sa table de travail, pipe dans une main, stylo dans l'autre, des papiers éparpillés partout.

— Eh bien, bonjour, Theo, dit Mr Boone avec un sourire chaleureux. Bonne journée à l'école ?

La même question, cinq jours par semaine.

— Horrible, répondit Theo. Je savais que je n'aurais pas dû y aller. Perte de temps complète.

— Pourquoi donc ?

— Enfin, quoi, papa ! Mon amie, notre camarade, a été enlevée par un criminel évadé qui a été envoyé en prison pour kidnapping. On ne peut pas dire que ça arrive tous les jours, par ici. On aurait dû sortir pour aider les recherches, mais non, on est restés coincés à l'école, et tout ce qu'on y a fait, c'est parler.

— Ridicule. Laisse les recherches aux professionnels. Nous avons une excellente police dans cette ville.

— Eh bien, ils ne l'ont pas encore trouvée. Peut-être qu'ils ont besoin d'aide.

— D'aide de qui ?

Theo s'éclaircit la gorge et serra les dents. Il fixa son père droit dans les yeux et s'apprêta à tout lui raconter. On lui avait appris à regarder la vérité en face, à ne rien garder pour lui, à tout dire, sachant que cela vaudrait bien mieux que de mentir ou de dissimuler la vérité. Theo allait répondre « De notre aide, papa. Les amis d'April. J'ai organisé un groupe de recherche, et on va aller dans les rues… » quand le téléphone sonna. Son père décrocha, lança son habituel « Woods Boone » sur un ton grognon, puis écouta.

Theo retint sa langue. Au bout de quelques secondes, son père posa la main sur le combiné et chuchota :

— Ça risque de prendre un moment.

— À tout à l'heure, dit Theo.

Il se leva d'un bond et sortit. Il descendit l'escalier, toujours suivi de Juge, et se dirigea vers la petite pièce qu'il appelait son bureau, à l'arrière du cabinet. Il vida son sac à dos et posa ses livres et ses cahiers sur la table : on aurait pu penser qu'il allait se plonger dans ses devoirs. Erreur.

Le groupe qu'il avait organisé comptait une vingtaine d'amis. Le plan était de parcourir les rues en cinq unités de quatre vélos chacun. Ils avaient des téléphones portables et des talkies-walkies. Woody avait pris un iPad avec Google Earth et des applications GPS. Tout serait coordonné, Theo étant bien sûr le responsable. Ils passeraient certains quartiers au peigne fin pour trouver April, et distribueraient des prospectus avec une grande photo d'elle et la promesse d'une récompense de mille dollars pour toute information permettant de la sauver. Ils avaient fait passer le chapeau à l'école, récoltant presque deux cents dollars auprès des élèves et des professeurs. Theo et ses amis pensaient que leurs parents compléteraient cette somme, au cas où quelqu'un se présenterait avec des renseignements vitaux. Theo était sûr que les parents lâcheraient cet argent si nécessaire. C'était risqué, mais l'enjeu était énorme et ils avaient très peu de temps.

Theo se glissa par la porte arrière, laissant Juge seul et perplexe, puis il fit doucement le tour du bâtiment et sauta sur son vélo.

4.

Peu avant 16 heures, le groupe de recherche se réunit à Truman Park, le plus grand espace vert de Strattenburg. La bande se retrouva près du kiosque principal, un endroit fréquenté au cœur du parc, où les hommes politiques prononçaient des discours et où des orchestres jouaient durant les longues soirées d'été. Parfois aussi, de jeunes couples s'y mariaient.

Ils étaient dix-huit en tout : quinze garçons et trois filles, tous portant leur casque et volontaires pour retrouver et sauver April Finnemore.

Les garçons s'étaient disputés toute la journée, à l'école, pour savoir comment mener des recherches dans les règles. Aucun n'avait jamais participé à ce genre d'investigation, mais nul n'en souffla mot.

Au contraire : plusieurs d'entre eux, y compris Theo, s'exprimèrent comme s'ils savaient exactement quoi faire. L'un des plus assurés était Woody, qui, parce qu'il avait un iPad, pensait que ses idées avaient plus de poids. Et il y avait aussi Justin, le meilleur athlète de la classe, donc celui qui avait le plus confiance en lui.

Certains, sceptiques, pensaient que Jack Leeper avait déjà fui la ville avec April. Pourquoi rester dans un endroit où tout le monde avait vu son visage à la télévision locale ? Ceux-là soutenaient que tout effort pour retrouver April serait vain. Elle était partie, cachée dans un autre État, dans un autre pays peut-être… en espérant qu'elle fût encore en vie.

Mais Theo et les autres étaient décidés à faire quelque chose, n'importe quoi. Peut-être qu'elle était partie, et peut-être que non. Personne ne le savait, mais au moins ils essayaient. Qui sait ? La chance pourrait leur sourire.

Plus tard dans la journée, ils étaient enfin arrivés à un accord. Ils concentreraient leurs efforts sur un vieux quartier appelé Delmont, près de Stratten College, dans le nord-ouest de la ville. Delmont était un quartier pauvre, avec plus de locataires que de propriétaires, de nombreux étudiants et des artistes sans le sou. Le groupe pensait que tout kidnappeur digne de ce nom se tiendrait à l'écart des beaux quartiers. Il éviterait le centre et ses rues pleines de monde. Il choisirait presque à coup sûr un endroit fréquenté par des inconnus de passage. Ils limitèrent donc leur champ de recherche et, à partir du moment où cette décision fut prise, ils furent convaincus qu'April était cachée au fond d'un duplex bon marché, ou peut-être ligotée et bâillonnée dans un ancien garage de Delmont.

Ils se divisèrent en trois équipes de six, avec une fille intégrée, un peu à contrecœur, dans chaque unité. Dix minutes après s'être réunis au parc, ils arrivèrent à l'épicerie Gibson, en lisière de Delmont. L'équipe de Woody prit Allen Street, celle de Justin, Edgecomb Street. Quant à Theo, qui avait endossé le rôle de généralissime, même s'il ne se donnait pas ce titre, il emmena la sienne à deux rues de là, dans Trover Avenue, où ils commencèrent à coller des affiches « DISPARUE » sur tous les poteaux électriques qu'ils trouvèrent. Ils s'arrêtèrent à une laverie pour distribuer des prospectus aux clients. Ils bavardèrent avec des piétons sur le trottoir, en leur demandant d'ouvrir l'œil et le bon. Ils parlèrent à de vieux messieurs assis sur leurs terrasses dans des rocking-chairs, et à de gentilles dames qui arrachaient les mauvaises herbes de leurs plates-bandes. Ils pédalaient au ralenti dans l'avenue, observant chaque maison, chaque duplex, chaque immeuble, ainsi de suite, et ils commencèrent à comprendre qu'ils n'arriveraient pas à grand-chose. Si April était enfermée dans l'un de ces bâtiments, comment pourraient-ils la trouver ? Impossible d'entrer pour jeter un œil. Impossible de frapper à la porte dans l'espoir que Leeper leur ouvre. Impossible de crier sous les fenêtres pour qu'elle réponde. Theo se dit qu'il valait mieux consacrer leur temps à distribuer leurs papiers et parler de la récompense.

Ils finirent leur tournée de Trover Avenue et se dirigèrent vers le nord, à une rue de là, dans Whitworth Street, où ils firent du porte-à-porte dans un centre commercial, déposant leurs affiches chez un coiffeur, un teinturier, un pizzaïolo et un magasin d'alcool. Le panneau affiché sur la porte de celui-ci interdisait clairement l'entrée aux moins de vingt et un ans, mais Theo n'hésita pas. Il était là pour aider une amie, pas pour acheter à boire. Il pénétra dans la boutique d'un pas assuré, seul, tendit des affiches aux deux caissiers désœuvrés et s'en alla sans leur laisser le temps de protester.

Ils sortaient du centre commercial quand Woody les appela en urgence. La police avait arrêté son équipe dans Allen Street, et elle n'était pas contente. Theo partit avec son groupe. Quelques minutes plus tard, ils étaient sur les lieux. Il y avait deux voitures de patrouille et trois agents en uniforme.

Theo vit aussitôt qu'il n'en connaissait aucun.

— Qu'est-ce que vous faites par ici, les jeunes ? demandait l'un d'eux à l'arrivée de Theo.

D'après sa plaque, il s'appelait Bard.

— Laissez-moi deviner. Vous aidez les recherches ? continua Bard en ricanant.

Theo se présenta en lui tendant énergiquement la main :

— Je m'appelle Theo Boone.

Il avait insisté sur son nom de famille, dans l'espoir que l'un des agents le connaîtrait. Theo avait appris que la plupart des policiers connaissaient pas mal d'avocats ; peut-être, juste peut-être, l'un d'eux saurait-il que ses parents étaient des juristes respectés. Raté. Il y avait tellement d'avocats à Strattenburg.

— Oui, monsieur, nous vous aidons à chercher April Finnemore, poursuivit Theo d'un ton aimable, gratifiant l'agent Bard d'un grand sourire métallique.

— C'est toi, le chef de cette bande ? lança sèchement Bard.

Theo jeta un œil à Woody, qui avait perdu toute confiance en lui et semblait terrifié, comme si on allait le traîner en prison, voire le passer à tabac.

— Je pense, dit Theo.

— Alors, qui vous a demandé de participer aux recherches, les jeunes ?

— Eh bien, monsieur, personne ne nous l'a vraiment demandé. Mais April est notre amie et nous sommes inquiets.

Theo essayait de trouver le ton juste. Il voulait se montrer tout à fait respectueux, mais il était aussi persuadé qu'ils ne faisaient rien de mal.

— Comme c'est mignon, dit Bard en souriant aux deux autres agents.

Il montra l'une des affiches à Theo.

— Qui a imprimé ça ? demanda-t-il.

Theo aurait bien répondu : « Monsieur, ce n'est vraiment pas vos affaires. » Mais cela n'aurait fait qu'aggraver une situation déjà tendue. Il se contenta donc de dire :

— Nous les avons imprimées à l'école aujourd'hui.

— Et c'est April ? demanda Bard en montrant le visage souriant en plein milieu de l'affiche.

Cette fois, Theo eut envie de rétorquer : « Non, monsieur, nous avons pris le visage d'une autre fille, pour que tout le monde s'y perde et que les recherches soient encore plus difficiles. »

Tous les médias locaux avaient montré le visage d'April. Bard la reconnaissait sûrement.

Theo répondit prudemment :

— Oui, monsieur.

— Et qui vous a donné la permission de coller ces affiches sur la voie publique ?

— Personne.

— Vous savez que c'est une violation des arrêtés municipaux, une infraction à la loi ? Vous le savez ?

Bard avait regardé trop de mauvais feuilletons policiers à la télévision, et il en faisait beaucoup trop pour effrayer les jeunes.

Justin et son équipe firent une arrivée silencieuse dans le groupe. Ils s'arrêtèrent derrière les autres. Il y avait dix-huit jeunes et trois policiers, sans compter plusieurs voisins qui observaient la situation.

À ce stade, Theo aurait dû jouer le jeu et mentir sur sa connaissance des arrêtés municipaux, mais il en était tout simplement incapable. Au lieu de cela, il répondit d'un ton respectueux :

— Non, monsieur, ce n'est pas une infraction de mettre des affiches sur des poteaux de téléphone et d'électricité. J'ai vérifié les textes de loi sur Internet aujourd'hui, à l'école.

Il apparut aussitôt que l'agent Bard ne savait pas vraiment comment réagir. Theo avait perçu son bluff. Il jeta un œil à ses deux collègues, qui semblaient amusés et déterminés à ne pas lever le petit doigt pour l'aider. Les jeunes ricanaient. Bard était seul contre tous.

Theo insista :

— La loi dit qu'il faut une autorisation pour des affiches et des tracts à caractère politique ou électoral, mais seulement ceux-là. Les autres affichages sont légaux, à condition qu'ils soient enlevés dans les dix jours. C'est la loi.

— Je n'aime pas ton attitude, petit, répliqua Bard en bombant le torse… et en posant la main sur son revolver de service.

Theo remarqua l'arme, mais sans s'en inquiéter. Bard essayait de jouer les flics durs à cuire, et il ne s'y prenait pas très bien.

Fils unique de deux avocats, Theo avait déjà développé une saine méfiance vis-à-vis des gens qui croyaient détenir plus de pouvoir que les autres, y compris certains policiers. On lui avait appris à respecter tous les adultes, en particulier ceux détenteurs de l'autorité, mais dans le même temps ses parents avaient instillé en lui un désir permanent de chercher la vérité. Lorsqu'une personne – adulte, adolescent ou enfant – se montrait malhonnête, il ne fallait pas accepter son imposture ou son mensonge.

Tous ses camarades avaient les yeux tournés vers lui, dans l'attente de sa réponse. Theo avala péniblement sa salive.

— Eh bien, monsieur, mon attitude n'a rien d'incorrect. Et, même si j'avais une mauvaise attitude, ce n'est pas illégal.

Bard fit jaillir son carnet et son stylo de sa poche et demanda :

— Comment tu t'appelles ?

Theo pensa : *Je vous ai donné mon nom il y a trois minutes*, mais il répondit :

— Theodore Boone.

Bard inscrivit son nom d'un geste théâtral, comme si cela aurait un jour une grande importance devant un tribunal. Tout le monde attendait. Enfin, l'un des autres agents fit quelques pas, se mit devant Bard et demanda :

— Ton papa, c'est Woods Boone ?

L'homme s'appelait Sneed, d'après sa plaque.

Enfin, pensa Theo.

— Oui, monsieur.

— Et ta mère est avocate, elle aussi, c'est ça ? poursuivit l'agent Sneed.

— Oui, monsieur.

Bard sembla s'affaisser sur son carnet. Il arrêta d'écrire, l'air perplexe, comme s'il pensait : *Super. Ce gosse connaît le droit et pas moi, et en plus il a deux parents qui me poursuivront sans doute si je fais une erreur.*

Sneed tenta de l'aider en posant une question inutile :

— Vous habitez dans le coin, les jeunes ?

Darren leva timidement la main :

— J'habite à Emmitt Street, à quelques rues d'ici.

La situation était bloquée, les deux côtés hésitaient sur la conduite à tenir. Sibley Taylor descendit de son vélo et s'approcha de Theo. Souriant à Bard et Sneed, elle déclara :

— Je ne comprends pas. Pourquoi ne pas travailler ensemble ? April est notre amie et nous sommes très inquiets. La police la recherche. Nous la recherchons. Nous ne faisons rien de mal. Où est le problème ?

Bard et Sneed ne trouvèrent aucune repartie à ces questions simples, aux réponses évidentes.

Dans une classe, il y a toujours celui qui parle avant de réfléchir, ou qui dit tout haut ce que les autres pensent tout bas. Dans leur groupe, le rôle était tenu par Aaron Helleberg ; il parlait anglais, allemand et espagnol, et s'attirait des ennuis dans les trois langues. Aaron lâcha tout à coup :

— Hé, les gars, vous feriez pas mieux de chercher April, au lieu de nous harceler ?

L'agent Bard rentra le ventre comme s'il venait de recevoir un coup. Il avait l'air prêt à tirer. Sneed intervint précipitamment :

— Bon, voilà le contrat. Vous pouvez distribuer les tracts, mais pas les afficher sur la voie publique – sur les poteaux téléphoniques, les bancs des abribus, les trucs comme ça. Il est presque cinq heures. À six heures, je ne veux plus vous voir dans les rues. Ça vous convient ? conclut-il en fusillant Theo du regard.

— Ça nous convient, répondit Theo en haussant les épaules.

Mais cela ne convenait pas du tout. Ils avaient le droit de coller des affiches sur les poteaux toute la journée. (Mais pas sur les bancs des abribus.) La police n'avait pas autorité pour changer les arrêtés municipaux, ni pour ordonner aux jeunes de quitter les rues à 18 heures.

Cependant, à ce stade, un compromis était nécessaire, et celui de Sneed n'était pas mauvais. Les recherches continueraient, et la police pourrait dire qu'elle contrôlait les jeunes. La résolution d'un conflit nécessitait souvent que chaque partie lâche un peu de lest – encore une chose que Theo avait apprise de ses parents.

Le groupe se réunit de nouveau à Truman Park. Quatre jeunes avaient d'autres choses à faire et s'en allèrent. Vingt minutes après avoir quitté Bard et Sneed, Theo et sa bande arrivèrent dans un quartier appelé Maury Hill, dans la partie sud-ouest de la ville, aussi éloigné de Delmont que possible. Ils distribuèrent des dizaines d'affiches, inspectèrent quelques bâtiments vides, discutèrent avec des voisins curieux, et repartirent promptement à 18 heures.

5.

Pour dîner, les Boone suivaient leur routine avec une régularité d'horloge. Le lundi, ils mangeaient chez Robilio, un vieux restaurant italien du centre, pas loin de leur bureau. Le mardi, ils partageaient une soupe et des sandwichs au foyer de sans-abri où ils étaient bénévoles. Le mercredi, Mr Boone achetait des plats chinois à emporter au Dragon Lady, qu'ils grignotaient devant la télévision. Le jeudi, Mrs Boone revenait avec un poulet rôti d'un traiteur turc, qu'ils dégustaient avec du houmous et des pitas. Le vendredi, c'était du poisson chez Malouf, un restaurant apprécié, tenu par un vieux couple libanais qui se disputait sans arrêt. Le samedi, ils choisissaient chacun à leur tour où ils voulaient aller. Theo optait en général pour une pizza-cinéma. Le dimanche, Mrs Boone faisait enfin la cuisine – le repas que Theo appréciait le moins dans la semaine, mais il était trop malin pour le dire. Marcella Boone n'aimait pas cuisiner. Travaillant beaucoup et passant de longues journées au bureau, elle n'avait tout simplement pas envie de foncer à la maison pour s'affairer encore dans la cuisine. D'ailleurs, il y avait pléthore de bons restaurants et de traiteurs du monde entier à Strattenburg, et il était bien plus avisé de laisser les vrais chefs faire la cuisine, du moins selon l'opinion de Mrs Boone. Cela ne dérangeait pas Theo, ni son père. Quand Marcella faisait à manger, elle attendait de son mari et de son fils qu'ils lavent et débarrassent ensuite, et tous deux préféraient éviter la vaisselle.

Le dîner était toujours à 19 heures pile – encore un signe clair que c'étaient des gens organisés, qui vivaient leurs journées à toute allure, un œil sur la pendule. Theo mit son assiette en carton pleine de nouilles et de crevettes aigres-douces sur son plateau télé et s'installa dans le canapé. Il posa par terre une assiette plus petite, que Juge attendait avec impatience. Juge adorait manger chinois – et au salon, avec les humains. La nourriture pour chien était pour lui une offense.

— Alors, Theo, des nouvelles d'April ? demanda Mr Boone après quelques bouchées.

— Non, m'sieur… rien qu'un tas de rumeurs à l'école.

— La pauvre, dit Mrs Boone. Je suis sûre que tout le monde était inquiet à l'école.

— On n'a parlé que de ça. Perte de temps complète. Je devrais rester à la maison, demain, pour aider aux recherches.

— Assez minable, ta tentative, commenta Mr Boone.

— Vous avez parlé à la police, vous deux ? Vous leur avez parlé de Mrs Finnemore pour leur expliquer qu'elle a menti sur sa présence à la maison hier soir ? Vous leur avez dit qu'elle n'était pas chez elle lundi et mardi soirs ? Que c'est une dingue qui prend des cachets et ne s'occupe pas de sa fille ?

Silence dans la pièce. Au bout de quelques secondes, Mr Boone répondit :

— Non, Theo. Nous en avons parlé et nous avons décidé d'attendre.

— Mais pourquoi ?

— Parce que cela n'aidera pas la police à retrouver April. Nous voulons attendre un jour ou deux. Il faut encore que nous en discutions.

— Tu ne manges pas, Theo, constata sa mère.

C'était vrai. Il n'avait plus d'appétit. La nourriture semblait coincée dans son œsophage, bloquée par une douleur sourde et lancinante.

— Je n'ai pas faim, dit Theo.

Plus tard dans la soirée, après une rediffusion de *New York Police judiciaire*, il y eut un flash spécial avec les dernières nouvelles locales. Les recherches se poursuivaient, mais la police refusait toujours d'en dire plus. Une photo d'April apparut soudain, puis l'une des affiches « DISPARUE » que Theo et sa bande avaient distribuées – suivie aussitôt par la figure menaçante de Jack Leeper, avec son air de tueur en série.

— La police étudie la possibilité que Jack Leeper, après son évasion en Californie, soit revenu à

Strattenburg pour voir sa correspondante, April Finnemore, conclut le journaliste.

La police étudiait bien des possibilités, se dit Theo. Cela ne signifiait pas qu'elles correspondaient toutes à la réalité. Il avait pensé à Leeper toute la journée, et il était sûr qu'April n'aurait jamais ouvert la porte à une ordure pareille. Theo s'était dit et répété que cette théorie de l'enlèvement pouvait bien n'être qu'une énorme coïncidence : Leeper s'était échappé de prison, était retourné à Strattenburg parce qu'il y avait vécu auparavant, et il avait été filmé dans une épicerie juste au moment où April avait décidé de s'enfuir.

Si Theo connaissait April, il avait aussi conscience qu'il ignorait bien des choses sur elle. Il n'avait pas envie de les connaître non plus. Est-ce qu'elle aurait pu s'enfuir sans lui en dire un mot ? Peu à peu, Theo avait commencé à s'en convaincre.

Assis dans le canapé sous une couette, Juge niché contre lui, Theo finit par s'endormir. Il était debout depuis quatre heures et demie du matin. Le manque de sommeil et les émotions de la journée l'avaient épuisé.

6.

La ville de Strattenburg était bordée à l'est par un méandre de la Yancey. Un vieux pont routier et ferroviaire permettait d'accéder au comté voisin. C'était une voie peu utilisée, parce qu'il n'y avait guère de raison de se rendre dans le comté voisin. Strattenburg se trouvait à l'ouest de la rivière, et la circulation se faisait dans ce sens. Lors des décennies passées, d'importantes quantités de bois et de céréales passaient sur la Yancey, et, dans les premières années de Strattenburg, la zone fréquentée de « sous le pont » était célèbre pour ses saloons, ses tripots et autres mauvais lieux. Quand le trafic fluvial déclina, la plupart de ces endroits fermèrent et les gens malhonnêtes partirent ailleurs. Cependant, il en resta suffisamment pour que le quartier conserve sa réputation peu enviable.

« Sous le pont » devint simplement « le pont », une partie de la ville qu'évitaient tous les gens comme il faut. C'était un lieu sombre, presque caché de jour par l'ombre d'une grande falaise, mal éclairé la nuit et sans guère de passage. On y trouvait des bars et des endroits dangereux où l'on ne se rendait que pour chercher des ennuis. Les maisons étaient des bicoques construites sur pilotis pour se protéger des crues. Les gens qui vivaient là étaient parfois appelés « rats de rivière », un sobriquet qu'ils trouvaient évidemment insultant. Quand ils travaillaient, ils pêchaient dans la Yancey et vendaient leurs prises à une conserverie qui produisait de la nourriture pour animaux. Mais ils ne travaillaient pas beaucoup. C'étaient des désœuvrés, vivant de la rivière, des aides sociales, se battant pour des broutilles et, de manière générale, méritant leur réputation de mauvais payeurs.

Le jeudi, au petit matin, les recherches se concentrèrent sur ce quartier.

La veille, un rat de rivière nommé Buster Shell avait passé l'essentiel de la soirée dans son bar préféré, à boire sa bière bon marché préférée et à jouer au poker à un *cent*. Une fois tout son argent disparu, il n'eut d'autre choix que de partir et de rentrer chez lui retrouver sa femme et ses trois enfants. En parcourant les ruelles non goudronnées, il se cogna dans un homme pressé. Ils échangèrent deux ou trois noms d'oiseau, comme c'était l'habitude sous le pont, mais l'autre ne semblait nullement intéressé par un pugilat – auquel Buster était tout à fait prêt.

Buster reprit sa route mais s'arrêta tout net. Il avait déjà vu ce visage. Quelques heures plus tôt. C'était le type que les flics recherchaient. C'était quoi, son nom ? Buster, à moitié ivre ou pis, claqua des doigts, se triturant les méninges pour s'en souvenir.

— Leeper, trouva-t-il enfin. Jack Leeper.

La plupart des habitants de Strattenburg savaient désormais que la police offrait une récompense de cinq mille dollars pour tout renseignement permettant l'arrestation de Jack Leeper. Buster pouvait presque sentir l'argent. Il jeta un œil aux alentours, mais l'homme était parti depuis longtemps. Cependant, Leeper – pour Buster, il ne faisait aucun doute que cet homme était bien Jack Leeper – se trouvait quelque part sous le pont. C'était le quartier de Buster, un endroit que la police préférait éviter, et où les rats de rivière faisaient leur loi.

En quelques minutes, Buster avait réuni un petit groupe bien armé, une demi-douzaine d'hommes à peu près aussi saouls que lui. Il leur avait donné le mot. La rumeur qu'un forçat évadé se trouvait dans le voisinage se répandit comme une traînée de poudre. Les gens de la rivière se battaient sans cesse entre eux, mais en cas de menace extérieure ils faisaient vite bloc.

Buster donna des ordres que personne ne suivit et, dès le début, les recherches cafouillèrent. La stratégie à suivre suscitait des conflits importants et, comme tous portaient une arme chargée, les désaccords étaient dangereux. Au bout d'un moment, tout de même, ils tombèrent d'accord qu'il fallait surveiller la seule véritable rue qui menait à la falaise et à Strattenburg. Une fois cela réglé, Leeper ne pouvait plus fuir qu'en volant un bateau ou en traversant la Yancey à la nage.

Les heures s'écoulèrent. Buster et ses hommes firent du porte-à-porte, fouillant méticuleusement sous les maisons, derrière les cabanes, dans les échoppes, les buissons et les sous-bois. Le groupe grossit et grossit encore, et Buster commença à s'inquiéter du partage de la récompense entre autant de gens. Comment arriverait-il à conserver la plus grosse part ? Ce serait difficile. Ce paiement de cinq mille dollars à une bande de rats de rivière déclencherait une petite guerre sous le pont.

Les premiers rayons du soleil pointèrent derrière les nuages, loin vers l'est. Les recherches ralentissaient. Les recrues de Buster, fatiguées, perdaient leur enthousiasme.

À quatre-vingt-cinq ans, Mrs Ethel Barber habitait seule depuis que son mari était mort, des années plus tôt. C'était l'une des rares personnes vivant sous le pont à qui l'agitation avait échappé. Elle se réveilla à 6 heures et alla se faire du café. Un léger bruit se fit alors entendre à la porte arrière de sa bicoque. Elle cachait un pistolet dans un tiroir, sous le grille-pain. Elle s'en saisit et actionna l'interrupteur. Comme Buster, elle tomba nez à nez avec l'homme qu'elle avait vu aux informations. Il était en train d'enlever la moustiquaire à la petite fenêtre de la porte, visiblement pour entrer. Mrs Barber leva son arme, comme pour tirer par la vitre. Jack Leeper la regarda, bouche bée, les yeux écarquillés d'horreur, et poussa un cri stupéfait qu'elle n'entendit pas vraiment – elle était presque sourde, d'ailleurs. Leeper se baissa aussitôt et fila à toute allure. Mrs Barber prit son téléphone et appela la police.

Moins de dix minutes plus tard, un hélicoptère de la police tournait autour du pont, et l'équipe d'intervention investissait les rues en silence.

Buster Shell fut arrêté pour ivresse sur la voie publique, possession illégale d'arme à feu, et rébellion. Il fut menotté et conduit au poste, ses rêves de récompense anéantis à jamais.

On retrouva rapidement Leeper, dans un fossé envahi de mauvaises herbes, près de la rue qui menait au pont. Il avait fait demi-tour et essayait manifestement de quitter le quartier. Pourquoi s'y était-il rendu, d'ailleurs ? Cela demeurait un mystère.

Ce fut l'équipage de l'hélicoptère qui le repéra. L'équipe d'intervention reçut ses coordonnées pour le localiser, et en quelques minutes la rue fut remplie de voitures de police, d'agents en armes de toutes sortes, de tireurs d'élite, de chiens et même d'une ambulance. L'hélicoptère descendit de plus en plus. Personne ne voulait rater le spectacle. La camionnette d'une chaîne de télévision filmait en direct.

Theo regardait la scène. Il s'était réveillé tôt : il n'avait presque pas dormi, se tournant et se retournant dans son lit, inquiet pour April. Il s'assit à la table de la cuisine, touillant son bol de céréales, devant le petit poste de télé avec ses parents. La caméra se rapprocha de l'équipe d'intervention, qui tirait quelqu'un du fossé. Theo lâcha sa cuillère, prit la télécommande et monta le son.

Jack Leeper était effrayant à voir. Ses vêtements déchirés étaient couverts de boue. Il ne s'était pas rasé depuis plusieurs jours. Ses épais cheveux noirs en désordre partaient dans tous les sens. Il semblait agressif, injuriant la police et crachant même en direction de la caméra. Quand il arriva dans la rue, entouré de policiers toujours plus nombreux, un journaliste lui cria :

— Hé ! Leeper. Où est April Finnemore ?

À quoi Leeper répondit, avec un vilain sourire :

— Vous la trouverez jamais.

— Elle est en vie ?

— Vous la trouverez jamais.

— Oh, mon Dieu ! s'exclama Mrs Boone.

Theo sentit son cœur se serrer. Leeper fut poussé à l'arrière d'une camionnette de police, pour être emmené en prison. Le journaliste parlait à la caméra, mais Theo n'entendait pas ce qu'il disait. Il enfouit sa tête entre ses mains et se mit à pleurer.

7.

En première heure, Theo avait cours d'espagnol, sa matière préférée après l'éducation civique avec Mr Mount. La professeure, une jeune et jolie dame du Cameroun, s'appelait Mrs Monique. L'espagnol n'était qu'une des nombreuses langues qu'elle parlait. En temps normal, les seize garçons de la classe étaient motivés et appréciaient cette matière.

Ce jour-là, pourtant, le collège tout entier était comme assommé. La veille, les couloirs et les salles de classe bruissaient de discussions nerveuses sur la disparition d'April. Est-ce qu'elle avait été enlevée ? Est-ce qu'elle s'était enfuie ? Et sa mère bizarre, alors ? Et où était son père ? Pendant toute la journée, on avait débattu de ces questions et de bien d'autres encore avec grand enthousiasme. Mais, désormais, après la capture de Jack Leeper et les paroles fatidiques qu'il avait prononcées sur le sort d'April, élèves et professeurs étaient saisis d'une peur incrédule.

Mrs Monique comprit la situation. Elle avait aussi la classe d'April, en quatrième heure. Elle tenta de lancer les garçons dans une discussion sans conviction sur la cuisine mexicaine, mais ils avaient l'esprit ailleurs.

En deuxième heure, toutes les classes de quatrième furent réunies dans l'auditorium. Cinq groupes de filles et cinq de garçons, avec leurs enseignants. Le collège était dans la troisième année d'une expérience qui consistait à séparer garçons et filles pendant les cours, mais pas pour les autres activités de la journée. Pour l'instant, ce projet était favorablement accueilli. Cependant, comme les élèves étaient ainsi séparés la plupart de la journée, il y avait un peu plus d'électricité dans l'air quand ils se retrouvaient au déjeuner, à la récréation, pour le sport ou en réunion, et il fallait quelques minutes pour revenir au calme. Mais pas ce jour-là. Ils étaient sous le choc. Il n'y avait aucune des poses, tentatives d'approche ou bavardages excités habituels. Ils s'assirent rapidement, l'air sombre.

La principale, Mrs Gladwell, passa un moment à tenter de les rassurer : April allait sans doute bien, la police pensait vite la retrouver et elle pourrait revenir au collège. Sa voix était réconfortante, ses paroles apaisantes, et les élèves étaient prêts à entendre toute bonne nouvelle. Soudain, un bruit se fit entendre au-dessus de l'établissement, le vrombissement typique d'un hélicoptère à basse altitude, et tout le monde pensa aussitôt aux recherches désespérées pour retrouver leur camarade. Quelques filles se frottèrent les yeux.

Plus tard, après déjeuner, Theo et ses amis jouaient sans conviction au Frisbee football quand un nouvel hélicoptère passa en grondant au-dessus du collège, à vive allure. À en juger par son immatriculation, il appartenait à la police. La partie s'arrêta ; les garçons le suivirent des yeux jusqu'à ce qu'il disparaisse. La cloche sonna, et ils retournèrent en classe en silence.

Au fil des heures, Theo et ses amis réussirent parfois à oublier April, au moins un instant. Et chaque fois que cela arrivait, bien rarement, on entendait un nouvel hélicoptère quelque part au-dessus de Strattenburg, vrombissant, hachant l'air de ses pales, à l'affût, tel un insecte géant prêt à attaquer.

La ville entière était sur les nerfs, comme dans l'attente d'une horrible nouvelle. Dans les cafés, les boutiques et les bureaux du centre, les employés et les clients parlaient à voix basse, répétant les on-dit qu'ils avaient entendus la demi-heure précédente. Au tribunal, source inépuisable de rumeurs, les greffiers et les avocats se retrouvaient autour des machines à café ou des fontaines à eau pour échanger les derniers tuyaux. Les chaînes de télévision locale diffusaient des flashes toutes les demi-heures. À ce rythme effréné, elles n'avaient généralement rien de nouveau à présenter, juste un journaliste au bord de la rivière répétant à peu près ce qu'il avait déjà dit plus tôt.

Au collège de Strattenburg, les camarades d'April suivaient leur emploi du temps en silence, impatients de rentrer chez eux pour la plupart.

Jack Leeper, désormais vêtu d'une tenue orange portant l'inscription « Prison municipale » des deux côtés, fut conduit à une salle d'interrogatoire au sous-sol du poste de police de Strattenburg. Au centre de la pièce se trouvait une petite table, avec une chaise pliante pour le suspect. De l'autre côté de la table étaient assis deux policiers en civil, Slater et Capshaw. Les agents en uniforme qui escortaient Leeper lui ôtèrent ses menottes et ses fers, puis prirent position à la porte. Ils restaient dans la pièce par sécurité, mais ce n'était pas vraiment nécessaire. Les inspecteurs Slater et Capshaw pouvaient certainement se protéger tout seuls.

— Asseyez-vous, monsieur Leeper, dit Slater en désignant la chaise vide.

Leeper s'assit lentement. Il s'était douché mais pas rasé, et avait toujours l'air d'un gourou fou qui aurait passé un mois dans les bois.

— Je suis l'inspecteur Slater, et voici mon collègue, l'inspecteur Capshaw.

— Un vrai plaisir de faire votre connaissance, les gars, ricana Leeper.

— Tout le plaisir est pour nous, répliqua Slater sur le même ton sarcastique.

— Un véritable honneur, intervint Capshaw – l'un des rares moments où il ouvrirait la bouche.

Slater était un vétéran, le plus haut gradé et le meilleur de Strattenburg. Sec et noueux, le crâne rasé et luisant, il ne portait que des costumes noirs à cravate noire. La ville ne connaissait quasiment aucune délinquance violente, mais quand cela arrivait l'inspecteur Slater était là pour résoudre l'affaire et livrer le responsable à la justice. Son bras droit, Capshaw, était l'observateur, celui qui prenait les notes et jouait le gentil flic quand Slater devait faire le méchant.

— Nous aimerions vous poser quelques questions, dit Slater. Vous voulez parler ?

— Peut-être.

Capshaw sortit un papier et le tendit à Slater, qui reprit :

— Eh bien, monsieur Leeper, comme vous le savez grâce à votre longue carrière de délinquant professionnel, vous devez d'abord être avisé de vos droits. Ça, vous vous en souvenez, n'est-ce pas ?

Leeper fusilla Slater du regard, comme s'il allait lui sauter à la gorge, mais Slater poursuivit, imperturbable :

— Vous connaissez vos droits aux termes de la loi Miranda[1], n'est-ce pas, monsieur Slater ?

— Ouais.

— Bien sûr que oui. Je suis sûr que vous avez connu bien des endroits de ce genre dans votre vie, dit Slater avec un mauvais sourire.

Leeper, lui, ne souriait pas. Capshaw prenait déjà des notes.

1. Droit de garder le silence et de se faire assister par un avocat.

— Tout d'abord, vous n'êtes pas obligé de nous parler. Point à la ligne. Vous comprenez ?

Leeper acquiesça.

— Mais, si vous acceptez de nous parler, alors tout ce que vous direz pourra être retenu contre vous au tribunal. Compris ?

— Ouais.

— Vous avez droit à un avocat, à une aide juridique. Compris ?

— Ouais.

— Et si vous ne pouvez pas vous en payer un, comme je suis sûr que c'est le cas, l'État vous en fournira un. Vous me suivez ?

— Ouais.

Slater fit passer le papier à Leeper et ajouta :

— En signant ici, vous reconnaissez que je vous ai exposé vos droits et que vous renoncez de votre plein gré à contester ceci.

Slater posa un stylo sur la feuille. Leeper prit son temps pour lire, tripota le stylo et finit par signer.

— Je peux avoir du café ? demanda-t-il.

— Du lait, du sucre ?

— Non, noir, c'est tout.

Slater fit signe à l'un des agents en uniforme, qui quitta la pièce.

— À présent, nous avons quelques questions à vous poser, dit Slater. Vous êtes prêt à parler ?

— Peut-être.

— Il y a deux semaines, vous étiez prisonnier en Californie, condamné à perpétuité pour enlèvement. Vous vous êtes évadé par un tunnel avec six autres détenus, et vous voici à Strattenburg.

— Vous avez une question ?

— Oui, monsieur Leeper, j'ai une question. Pourquoi êtes-vous venu à Strattenburg ?

— Il fallait bien que j'aille quelque part. J'allais pas rester devant la prison, non ?

— J'imagine. Vous avez vécu ici autrefois, exact ?

— Quand j'étais gosse, au début du collège, je crois, dit Leeper. J'y suis allé un an, puis on a déménagé.

— Et vous avez des parents dans la région ?

— Quelques-uns. Éloignés.

— L'un de ces parents éloignés s'appelle Imelda May Underwood, dont la mère était la cousine au troisième degré de Ruby Dell Butts, dont le père, Franklin Butts, était mieux connu à la scierie Massey sous le surnom de Butts « la Chaîne ». Ce Butts la Chaîne avait un demi-frère, Winstead Leeper ou « Winky », qui, je pense, était votre père. Il est mort il y a une dizaine d'années.

Leeper assimila tout cela et dit enfin :

— Winky Leeper était mon père, oui.

— Donc, au milieu de tous ces divorces et remariages, vous en êtes arrivé à devenir le cousin au dixième ou onzième degré d'Imelda May Underwood, qui a épousé un homme nommé Thomas Finnemore et s'appelle désormais May Finnemore, mère de la jeune April. Cela vous semble exact, monsieur Leeper ?

— J'ai jamais rien eu à faire de ma famille.

— Oh, je suis sûr qu'elle aussi vous apprécie beaucoup.

La porte s'ouvrit et l'agent posa une tasse de café noir fumant devant Leeper. Il avair l'air trop chaud. Leeper resta là à le regarder. Slater s'arrêta un instant, puis reprit l'interrogatoire :

— Nous avons des copies de cinq lettres qu'April vous a écrites en prison. Des gentillesses de gosse : elle avait de la peine pour vous, elle voulait que vous correspondiez. Vous lui avez répondu ?

— Ouais.

— Beaucoup ?

— Je sais pas. Plusieurs fois, je crois.

— Vous êtes revenu à Strattenburg pour voir April ?

Leeper prit enfin sa tasse et but une gorgée. Il répondit lentement :

— Je ne suis pas sûr d'avoir envie de répondre à cette question.

Pour la première fois, Slater montra de l'agacement.

— Pourquoi est-ce que vous avez peur de cette question, monsieur Leeper ?

— Je n'ai pas à y répondre. C'est marqué en plein sur votre bout de papier. Je peux m'en aller tout de suite. Je connais les règles.

— Vous êtes venu ici pour voir April ?

Leeper prit une deuxième gorgée. Un long silence suivit. Les quatre policiers le regardaient fixement. Lui regardait sa tasse. Il dit enfin :

— Écoutez, voilà la situation. Vous voulez quelque chose. Moi aussi. Vous voulez la fille. Moi, je veux passer un marché.

— Quel genre de marché, Leeper ? répliqua Slater.

— Il y a une minute, c'était « monsieur Leeper ». Maintenant, c'est juste Leeper. Je vous énerve, monsieur l'inspecteur ? Dans ce cas, je suis vraiment désolé. Voilà ce à quoi je pense. Je sais que je vais retourner en prison, mais j'en ai vraiment marre de la Californie. Les prisons sont galère : trop de monde, des tas de gangs, de violence, et la bouffe est pourrie. Vous voyez ce que je veux dire, inspecteur Slater ?

Slater n'avait jamais mis les pieds à l'intérieur d'une prison, mais, pour accélérer les choses, il répondit :

— Bien sûr.

— Je veux purger ma peine ici, les taules sont un peu plus sympas. Je le sais, je les connais bien.

— Où est la fille, Leeper ? demanda Slater. Si tu l'as enlevée, tu risques à nouveau la perpétuité. Et si elle est morte, c'est la peine capitale et le couloir de la mort.

— Pourquoi est-ce que je ferais du mal à ma petite cousine ?

— Où est-elle, Leeper ?

Leeper prit une longue gorgée de café, croisa les bras sur la poitrine et sourit à Slater. Les secondes passaient.

— Tu fais le malin, Leeper, intervint Capshaw.

— Peut-être, peut-être pas. Il y a une récompense ?

— Pas pour toi, dit Slater.

— Pourquoi pas ? Vous me donnez de l'argent, je vous conduis à la fille.

— Ça ne marche pas comme ça.

— Cinquante mille dollars, et elle est à vous.

— Qu'est-ce que tu ferais de cinquante mille dollars, Leeper ? demanda Slater. Tu es en prison pour le restant de tes jours.

— Oh, on va loin, avec de l'argent, en prison. Vous me trouvez l'argent, vous vous arrangez pour que je purge ma peine ici, et le marché est conclu.

— Tu es plus bête que je ne pensais, dit Slater, agacé.

— Et ce n'est pas peu dire, s'empressa d'ajouter Capshaw.

— Allez, les gars. Ça ne vous mène nulle part. Marché conclu ?

— Aucun marché, Leeper, dit Slater.

— Dommage.

— Aucun marché, mais je vais te promettre quelque chose. S'il arrive quoi que ce soit à cette fille, je te poursuivrai jusque dans ta tombe.

Leeper éclata de rire :

— J'adore quand les flics deviennent menaçants. C'est fini, les gars. Je parle plus.

— Où est la fille, Leeper ? demanda Capshaw.

Leeper se contenta de sourire.

8.

Theo aurait préféré ne pas rester au collège après les cours pour regarder les filles jouer au football. Lui-même n'y jouait pas. Il n'avait pas le choix, de toute façon : son asthme lui interdisait les activités trop physiques. Mais, même autrement, il ne se voyait pas pratiquer ce sport. Il avait essayé à six ans, avant ses problèmes, et n'y avait rien compris. À l'âge de neuf ans, alors qu'il jouait au base-ball, il s'était écroulé sur la troisième base après avoir frappé un triple, et cela avait mis fin à sa courte carrière dans les sports d'équipe. Theo s'était mis au golf.

Mr Mount, en revanche, adorait le football ; il y avait même joué à l'université. Il donnait des points en plus aux élèves qui restaient pour la partie. En outre, selon une règle non écrite du collège, les filles encourageaient les garçons, et vice versa. En temps normal, Theo aurait été content de s'asseoir sur les gradins, de regarder le match (vaguement) mais surtout les vingt-deux filles sur le terrain, et celles sur les bancs de touche. Mais pas aujourd'hui. Il aurait voulu être ailleurs, sur son vélo, à distribuer des affiches « DISPARUE », n'importe quoi pour aider les recherches.

C'était une journée lamentable pour tous les sports. Les élèves de Strattenburg étaient distraits. Les équipes et leurs supporters manquaient d'énergie. Même les adversaires venus d'Elksburg, à soixante kilomètres de là, semblaient sans entrain. Un nouvel hélicoptère passa au-dessus du terrain dix minutes après le début du match, et toutes les joueuses levèrent la tête une seconde, pleines d'appréhension.

Comme c'était à prévoir, Mr Mount se dirigea vers un groupe de femmes. Le secret le moins bien gardé du collège était qu'il avait un œil sur Miss Highlander, la splendide prof de maths, fraîche émoulue de l'université. Tous les garçons de cinquième et de quatrième brûlaient pour elle d'une flamme secrète et désespérée, et manifestement elle intéressait aussi Mr Mount. Il avait la trentaine, était célibataire et de loin le prof le plus sympa du collège. Les seize garçons dont il était le professeur principal le poussaient férocement à courtiser Miss Highlander.

Mr Mount se prépara à l'offensive – et Theo aussi. Il supposa à juste titre que Mr Mount regardait ailleurs, c'était le moment parfait pour une sortie discrète. Theo et trois autres élèves s'éloignèrent du terrain de foot et bientôt ils filaient sur leurs vélos. Leur groupe de recherche était bien moins fourni, mais c'était voulu. La veille, ils étaient trop nombreux, avec bien trop d'opinions différentes, et trop d'activités susceptibles d'être remarquées par des flics comme l'agent Bard. De plus, quand Theo et Woody s'étaient organisés, ils avaient trouvé moins de volontaires. Le sentiment d'urgence que ressentait Theo n'était pas partagé par beaucoup de ses camarades. Ils étaient inquiets, certes, mais nombre d'entre eux estimaient que ces recherches menées par des jeunes à vélo étaient une perte de temps. La police avait des équipes d'intervention, des hélicoptères, des chiens, et elle ne manquait pas d'effectifs. Si elle ne retrouvait pas April, c'était sans espoir.

Theo retourna dans le quartier de Delmont avec Woody, Aaron et Chase. Ils rôdèrent dans les rues quelques minutes pour s'assurer que la police n'y était pas. Une fois rassurés, ils se mirent rapidement à distribuer des affiches et à les coller sur les poteaux. Ils inspectèrent quelques bâtiments déserts, regardèrent derrière des immeubles délabrés, s'aventurèrent avec précaution dans un fossé de drainage envahi par les herbes, passèrent sous deux ponts. Ils faisaient de vrais progrès lorsque le frère aîné de Woody l'appela sur son portable. Woody, figé, l'écouta avec attention, puis dit aux autres :

— On a retrouvé quelque chose dans la rivière.

— Hein ?

— C'est pas sûr, mais mon frère écoute les fréquences de la police sur son scanner, et il dit que ça jacasse de partout. Tous les flics y vont.

Sans hésiter, Theo ordonna :

— Allons-y.

Ils sortirent de Delmont à toute allure, passèrent devant Stratten College et atteignirent le centre-ville. En arrivant dans la grand-rue par l'est, ils virent des voitures de police et des dizaines d'agents qui fourmillaient. La voie était bloquée, la zone sous le pont barrée. L'atmosphère était pesante. Et le bruit... Deux hélicoptères survolaient la rivière. Les commerçants et leurs clients se tenaient sur le trottoir, contemplant bouche bée les deux engins, attendant que quelque chose se passe. La circulation était déviée loin du pont et de la rivière.

Tandis que les garçons regardaient ce spectacle, une nouvelle voiture de police se glissa à côté d'eux. Le conducteur baissa la vitre et gronda :

— Qu'est-ce que vous faites ici, les gars ?

C'était encore l'agent Bard.

— On est sur nos vélos, dit Theo. Ce n'est pas illégal.

— Ne fais pas le malin avec moi, Boone. Si je vous revois près de la rivière, je vous jure que je vous embarque.

Theo pensa à plusieurs répliques, qui toutes aggraveraient la situation. Il serra les dents et répondit poliment :

— Oui, monsieur.

Bard sourit avec suffisance et s'éloigna vers le pont.

— Suivez-moi, dit Woody.

Ils partirent en vitesse. Woody vivait dans un quartier appelé East Bluff, près de la rivière, sur une colline en pente douce qui descendait vers la plaine. C'était un endroit connu, plein de ruelles sombres, de criques et d'impasses. Le lieu était généralement sûr, mais il avait inspiré bien des récits étranges et hauts en couleur. Le père de Woody était un tailleur de pierre réputé qui avait passé toute sa vie à East Bluff. C'était une grande famille, presque un clan, avec des tas de tantes, d'oncles et de cousins, vivant tous à côté les uns des autres.

Dix minutes après avoir rencontré l'agent Bard, les garçons traversaient East Bluff à vive allure, sur une piste sinueuse qui longeait et dominait la rivière. Woody pédalait comme un fou, les autres avaient du mal à le suivre. C'était son territoire, il parcourait ces chemins à vélo depuis l'âge de six ans. Ils traversèrent une route gravillonnée, plongèrent au creux d'une colline escarpée, remontèrent de l'autre côté comme des flèches, et s'envolèrent littéralement au sommet avant de retomber sur la piste. Theo, Aaron et Chase étaient terrifiés, mais trop excités pour ralentir. Et, bien sûr, fermement décidés à ne pas lâcher Woody, qui risquait de les narguer très vite. Ils s'arrêtèrent enfin sur un petit promontoire herbeux, d'où on apercevait la rivière sous les arbres.

— Suivez-moi, dit Woody.

Ils obéirent, laissant leurs vélos derrière eux, et descendirent rapidement le flanc de la falaise, en s'accrochant à du lierre. Ils parvinrent à un escarpement rocailleux. La Yancey s'étirait devant eux.

À deux ou trois kilomètres au nord s'étendaient les rangées de maisonnettes blanches où vivaient les rats de rivière, et, au-delà, le pont grouillant de voitures de police. Une ambulance venait d'arriver sur l'autre berge. Des policiers s'approchaient en bateau ; plusieurs d'entre eux étaient en tenue de plongée. L'atmosphère semblait tendue, presque frénétique, dans les hurlements des sirènes, avec les agents qui couraient partout et les hélicoptères qui volaient à faible altitude pour surveiller les lieux.

On avait trouvé quelque chose.

Les garçons restèrent assis un long moment sur la falaise, en silence. La recherche, le sauvetage, ou l'extraction, se déroulait lentement. Ils avaient tous la même pensée : ils observaient une vraie scène de crime où la victime était leur amie April Finnemore, à qui on avait fait un mal horrible avant de l'abandonner sur la rive. Elle devait être morte, car personne ne se hâtait de la sortir de l'eau pour l'emmener à l'hôpital. D'autres policiers arrivèrent, le chaos empira.

Enfin, Chase demanda à la cantonade :

— Vous croyez que c'est April ?

— Qui ça pourrait être d'autre ? répondit Woody abruptement. Ce n'est pas tous les jours qu'on retrouve un cadavre dans la rivière.

— Tu ne sais pas qui c'est, ou ce que c'est, rétorqua Aaron.

Il trouvait souvent le moyen d'être en désaccord avec Woody, qui était prompt à avoir des opinions sur presque tout.

Le portable de Theo sonna dans sa poche. Il y jeta un œil : Mrs Boone, qui appelait du bureau.

— C'est ma mère, dit-il nerveusement avant de prendre l'appel. Salut, maman.

— Theo, où es-tu ?

— Je viens de quitter le terrain de foot, dit-il avec un clin d'œil à ses amis.

Ce n'était pas un mensonge complet, mais c'était tout de même bien loin de la vérité.

— Eh bien, il semble que la police ait découvert un corps dans la rivière, de l'autre côté, près du pont, se lança Mrs Boone.

L'un des hélicoptères, un rouge et jaune avec « TV 5 » peint en gros caractères, informait visiblement la chaîne en direct. La ville tout entière devait suivre le flash.

— Il a été identifié ? demanda Theo.

— Non, pas encore. Mais ça ne peut pas être de bonnes nouvelles, Theo.

— C'est atroce.

— Quand est-ce que tu passes au bureau ? poursuivit Mrs Boone.

— J'y serai dans vingt minutes.

— D'accord, Theo. Fais attention, je t'en prie.

L'ambulance s'éloigna de la rivière, puis passa sur le pont, escortée par une file de voitures de police. La procession accéléra, suivie des hélicoptères.

— Allons-y, dit Theo.

Les garçons escaladèrent lentement la falaise et repartirent à vélo.

Le cabinet Boone & Boone possédait une grande bibliothèque de livres de droit au rez-de-chaussée, près de l'entrée, non loin de l'endroit où Elsa travaillait et surveillait les lieux. C'était la pièce préférée de Theo. Il adorait ses rangées de volumes épais et imposants, ses vastes fauteuils en cuir et sa longue table de conférence en acajou. L'endroit servait à toutes sortes de réunions importantes : dépositions, négociation d'accords, et, pour Mrs Boone, préparation aux procès. Pour certains divorces, elle se rendait au tribunal. Pas Mr Boone. Spécialisé dans l'immobilier, il quittait rarement son bureau de l'étage. Il lui arrivait cependant, pour conclure des contrats, d'avoir besoin de la bibliothèque.

Tous deux l'y attendaient. Un téléviseur à écran plat était allumé, et ils regardaient la chaîne d'info locale avec Elsa. À son arrivée, sa mère et Elsa l'embrassèrent. Theo s'assit près de la télévision entre les deux femmes, qui lui tapotèrent toutes deux le genou, comme s'il venait d'échapper à la mort. Le flash ne parlait que de la découverte d'un corps et de son transport à la morgue municipale, où les autorités procédaient à toutes sortes de démarches importantes. La journaliste ne savait pas bien ce qui se passait à la morgue, et, comme elle n'avait pas pu trouver de témoin prêt à parler, elle se contentait de meubler, à la manière ordinaire des médias.

Theo avait envie d'annoncer à tout le monde qu'il avait une vue imprenable sur la rivière, mais cela aurait compliqué la situation.

La journaliste expliquait que la police travaillait avec des inspecteurs du laboratoire de l'État, et qu'elle espérait en savoir plus d'ici quelques heures.

— La pauvre fille, soupira Elsa.

— Pourquoi tu dis ça ? demanda Theo.

— Je te demande pardon.

— Tu ne sais pas si c'est une fille. Tu ne sais pas si c'est April. Nous ne savons rien, d'accord ?

Les adultes échangèrent des regards. Les deux femmes continuèrent à lui tapoter le genou.

— Theo a raison, dit Mr Boone, mais seulement pour réconforter son fils.

La télé présenta pour la centième fois une photo de Jack Leeper, en rappelant son passé. Quand il devint évident qu'il n'y avait rien de neuf pour l'instant, l'intérêt disparut. Mr Boone s'éloigna. Mrs Boone avait un client qui l'attendait dans le couloir. Elsa devait répondre au téléphone.

Theo finit par gagner son bureau, à l'arrière du bâtiment. Juge le suivit, et Theo lui caressa longuement la tête en lui parlant. Cela les réconfortait tous les deux. Theo posa les pieds sur la table et regarda son petit bureau. Il se concentra sur le mur, où son dessin préféré le faisait toujours sourire. C'était un croquis au crayon, représentant le jeune avocat Theodore Boone au tribunal, vêtu d'un costume-cravate, tandis qu'on lui jetait un marteau à la tête devant des jurés hurlant de rire. La légende en grosses lettres disait : « OBJECTION REJETÉE ! » En bas, à droite, l'artiste avait griffonné son nom : *April Finnemore*. Elle l'avait donné à Theo pour son anniversaire, l'année précédente.

Sa carrière d'artiste était-elle terminée avant d'avoir commencé ? April était-elle morte, gentille fille de treize ans cruellement enlevée et assassinée parce qu'il n'y avait personne pour s'occuper d'elle ? Les mains de Theo tremblaient, sa bouche était sèche. Il ferma sa porte à clé, puis s'approcha du dessin et effleura son nom. Il avait les yeux humides. Les larmes jaillirent. Il tomba par terre et pleura longuement. Juge s'assit à côté de lui et le regarda avec tristesse.

9.

Une heure passa et l'obscurité tomba. Theo était assis à son petit bureau, une table à jouer recouverte d'objets évoquant le métier d'avocat : un agenda, une pendulette à affichage numérique, un faux stylo à réservoir, et son nom sur une plaque en bois pyrogravée. Devant lui, son manuel d'algèbre ouvert. Il le regardait fixement depuis un long moment, incapable de lire les mots ou de tourner les pages. Son carnet aussi était ouvert, sur une page blanche.

Il ne pensait qu'à April, à l'horreur d'observer la police pêcher son corps dans les eaux stagnantes de la Yancey. Il n'avait pas vraiment vu le corps, mais il avait vu la police et les plongeurs entourer quelque chose et s'agiter pour l'extraire de la rivière. Manifestement, c'était un cadavre. Un mort. Sinon, pourquoi la police serait-elle là ? Il n'y avait pas eu d'autre disparition à Strattenburg la semaine dernière, ni l'année dernière d'ailleurs. La liste ne comportait qu'un seul nom, et Theo était convaincu qu'April était morte. Enlevée, assassinée et jetée à l'eau par Jack Leeper.

Theo attendait avec impatience le procès de Leeper. Il espérait qu'il s'ouvrirait bientôt, à quelques rues de là, au tribunal du comté. Il en suivrait chaque minute, même s'il devait sécher l'école. Peut-être qu'on l'appellerait comme témoin. Il n'était pas sûr de ce qu'il déclarerait à la barre, mais il dirait tout ce qu'il faudrait pour coincer Leeper, le faire condamner et enfermer pour toujours. Ce serait un grand moment : Theo appelé à la barre, s'avançant dans le tribunal comble, posant sa main sur la Bible, jurant de dire la vérité, prenant son siège à la barre des témoins, souriant au juge Henry Gantry, regardant avec confiance les jurés aux visages curieux, contemplant la foule, intrépide, puis foudroyant du regard la face hideuse de Jack Leeper, le forçant à baisser les yeux en plein tribunal. Plus Theo pensait à cette scène, plus elle lui plaisait. Il y avait une bonne chance qu'il ait été la dernière personne à parler à April avant son enlèvement. Il pourrait témoigner qu'elle était apeurée et, étonnamment, seule à la maison. L'accès à la maison ! Telle serait la question. Comment le ravisseur avait-il pénétré à l'intérieur ? Peut-être Theo était-il le seul à savoir qu'April avait verrouillé toutes les portes et les fenêtres, et même coincé des chaises sous les poignées tellement elle avait peur ? Donc, comme il n'y avait pas de trace d'effraction, elle connaissait l'identité de son kidnappeur. Elle connaissait Jack Leeper. Et il avait réussi à la convaincre d'ouvrir la porte.

En repensant à sa dernière conversation avec April, Theo se convainquit qu'il serait effectivement appelé à témoigner par l'accusation. Pendant quelques instants, il se vit au tribunal, puis l'oublia tout à coup. Le choc de la tragédie le frappa de nouveau, et il sentit les larmes revenir. Theo avait la gorge serrée et une boule dans le ventre. Il avait besoin de voir un autre humain. Elsa était partie, comme Dorothy et Vince. Sa mère travaillait dans son bureau avec un client, porte verrouillée. Son père était en haut, à pousser des papiers sur son bureau en essayant de finir la rédaction d'un gros contrat. Theo se leva, enjamba Juge pour s'approcher du dessin qu'April lui avait donné. Il effleura de nouveau son nom.

April et lui s'étaient connus à la maternelle, mais Theo ne se rappelait pas exactement quand ou comment. Les enfants de quatre ans ne font pas de présentations. Ils arrivent à l'école et se rencontrent. April était dans la même classe que Theo, celle de Mrs Sansing. Les deux années suivantes, ils avaient été séparés et Theo ne la voyait presque pas. L'année d'après, sous l'effet de l'âge, les garçons ne voulaient rien avoir à faire avec les filles, et vice versa. Theo se rappelait vaguement qu'April était partie un an ou deux. Il l'oublia, comme la plupart de ses camarades. Mais il se souvenait du jour de son retour. Il était en première année de collège, dans la classe de Mr Hancock, et la rentrée datait d'à peine deux semaines. La porte s'ouvrit et April entra, escortée par un principal adjoint qui la présenta en expliquant que sa famille venait de revenir à Strattenburg. Elle semblait gênée par l'attention des autres. Elle s'assit à une table près de Theo, le regarda en souriant et dit : « Salut, Theo. » Il lui rendit son sourire, incapable de répondre.

La plupart des élèves se souvenaient d'elle et, malgré sa réserve, presque sa timidité, elle n'eut aucun problème à renouer ses anciennes amitiés avec les filles. Elle n'avait pas de succès particulier – elle n'essayait pas d'en avoir – ni de problèmes particuliers parce qu'elle était réellement gentille, attentionnée et plus mûre que la plupart de ses camarades. April était assez étrange pour demeurer un mystère. Elle s'habillait plutôt en garçon, avec les cheveux très courts. Elle n'aimait pas le sport, la télévision ni Internet. Elle préférait peindre et étudier les arts ; elle parlait de vivre à Paris ou Santa Fe, où elle ne ferait que peindre. Elle adorait l'art contemporain, qui laissait perplexes aussi bien ses camarades que les professeurs.

Bientôt, des rumeurs circulèrent sur sa famille de dingues, ses frère et sœur qui portaient des noms de mois, sa mère à la masse qui vendait du fromage de chèvre, et son père absent. Au fil de l'année, April devint plus lointaine et maussade. Elle participait très peu et était l'élève la plus souvent absente de la classe.

Avec l'entrée en scène des hormones, les barrières entre garçons et filles tombèrent, et il devint appréciable pour un garçon d'avoir une copine. Les plus mignonnes et les plus recherchées se faisaient courir après, avec succès, mais pas April. Elle ne montrait aucun intérêt pour les garçons et n'avait pas la moindre idée de ce qu'était le flirt. Distante, elle était souvent perdue dans son monde. Elle plaisait à Theo, depuis longtemps, mais il était trop timide pour passer à l'action. Il ne savait pas vraiment comment s'y prendre, et April semblait inapprochable.

Cela s'était passé en cours de gym, l'année précédente, par un après-midi froid et neigeux de la fin février. Deux classes venaient de commencer une séance de torture d'une heure sous la direction de Bart Tyler, un jeune professeur d'éducation physique pétaradant qui se prenait pour un instructeur des Marines. Les élèves, garçons et filles, venaient de terminer une série de sprints violents quand Theo se trouva soudain hors d'haleine. Il courut à son sac posé dans un coin, sortit son inhalateur et prit plusieurs bouffées. Cela arrivait parfois et, malgré la compréhension de ses camarades, Theo se sentait toujours gêné. En fait, il était exempté de sport, mais il insistait pour participer.

Inquiet, Mr Tyler conduisit Theo sur les gradins. Le garçon était humilié. Tandis que Mr Tyler s'éloignait en criant et en donnant des coups de sifflet, April Finnemore sortit du groupe et alla s'asseoir à côté de Theo. Tout à côté.

— Ça va ? demanda-t-elle.

— Tout va bien, répondit-il.

Il commençait à se dire qu'une crise d'asthme, après tout, ce n'était pas si mal. Elle lui posa la main sur le genou et le regarda avec une inquiétude immense.

— Hé, April, qu'est-ce que tu fais ? cria une voix forte

C'était Mr Tyler.

Elle se tourna vers lui et dit froidement :

— Je fais une pause.

— Ah, vraiment. Je ne me rappelle pas avoir donné l'autorisation. Retourne dans les rangs.

— J'ai dit : je fais une pause, répéta April, d'un ton glacial.

Mr Tyler en resta pantois une seconde, puis réussit à demander :

— Et pourquoi donc ?

— Parce que j'ai un problème d'asthme, comme Theo.

À ce stade, personne ne savait si April disait la vérité, mais personne, en particulier Mr Tyler, ne semblait prêt à insister.

— C'est bon, c'est bon, dit-il, avant de donner un coup de sifflet à l'attention des autres élèves.

Pour la première fois de sa jeune vie, Theo fut ravi d'avoir de l'asthme.

Theo et April restèrent assis dans les gradins pendant le reste du cours, genou contre genou, à observer les autres suer et gémir, à glousser en regardant les moins athlétiques, à se moquer de

Mr Tyler, à médire des élèves qu'ils n'appréciaient pas et à parler à voix basse de la vie en général. Ce soir-là, ils se retrouvèrent sur Facebook pour la première fois.

Soudain, on frappa à la porte. Theo sursauta. La voix de son père se fit entendre :

— Ouvre, Theo.

Theo se hâta de déverrouiller et d'ouvrir la porte.

— Tu vas bien ? demanda Mr Boone.

— Bien sûr, papa.

— Il y a deux policiers ici, et ils voudraient te parler.

Theo était trop étonné pour répondre. Son père reprit :

— Je ne sais pas ce qu'ils veulent, sans doute plus d'informations sur April. On va leur parler dans la bibliothèque. On sera avec toi, ta mère et moi.

— Euh, d'accord.

Ils se retrouvèrent dans la bibliothèque. Les inspecteurs Slater et Capshaw discutaient d'un air grave avec Mrs Boone lorsque Theo entra. On fit les présentations et tout le monde s'assit.

Theo était protégé de chaque côté par un parent-avocat. Les inspecteurs lui faisaient face. Comme d'habitude, Slater parlait et Capshaw prenait des notes. Slater commença :

— Désolé de faire irruption comme ça, mais vous avez peut-être appris qu'un cadavre a été tiré de la rivière cet après-midi.

Les Boone opinèrent tous les trois. Theo, lui, n'allait pas avouer qu'il avait observé la police depuis une falaise, sur l'autre rive. Il ne dirait rien de plus que le nécessaire. Slater poursuivit :

— Les gens du labo sont en train de travailler à l'identification du corps. Franchement, ce n'est pas facile, parce qu'il est, eh bien, disons, un peu décomposé.

La poitrine de Theo se serra davantage. Il avait mal à la gorge et il lutta pour ne pas pleurer. April, décomposée ? Il n'avait envie que d'une chose : rentrer chez lui, dans sa chambre, fermer la porte et s'allonger sur son lit, contempler le plafond et puis sombrer dans le coma et se réveiller dans un an.

— Nous avons parlé à sa mère, dit doucement Slater, avec beaucoup de patience et de compassion, et elle nous a dit que tu es le meilleur ami d'April. Vous parliez tout le temps, vous vous voyiez beaucoup. C'est vrai ?

Muet, Theo fit signe que oui.

Slater échangea un regard avec Capshaw, qui continuait à écrire.

— Ce qu'il nous faut, Theo, c'est toutes les informations possibles sur ce qu'April aurait pu porter quand elle a disparu, dit Slater.

— Le corps au labo porte quelques restes de vêtements, ajouta Capshaw. Cela pourrait faciliter l'identification.

Slater reprit aussitôt :

— Avec l'aide de Mrs Finnemore, nous avons fait l'inventaire de ses vêtements. D'après sa mère, tu lui aurais donné une ou deux choses. Une veste de base-ball, peut-être.

Theo avala péniblement sa salive et s'efforça de parler distinctement :

— Oui, monsieur. L'an dernier, j'ai donné à April une veste de base-ball et une casquette des Twins.

Capshaw écrivit encore plus vite. Slater demanda :

— Tu peux décrire cette veste ?

— Bien sûr. Elle était bleu foncé avec une bordure rouge, les couleurs du Minnesota, avec le mot Twins dans le dos, en lettres rouge et blanc.

— Cuir, coton, tissu, synthétique ?

— Je ne sais pas. Synthétique, peut-être. Je crois que la doublure intérieure était en coton, mais je n'en suis pas sûr.

Les deux policiers échangèrent un regard de mauvais augure.

— Je peux te demander pourquoi tu la lui as donnée ? demanda Slater.

— Bien sûr. Je l'ai gagnée à un concours sur le site des Twins, et comme j'en ai déjà deux ou trois je l'ai donnée à April. C'était une taille enfant, trop petite pour moi.

— April est fan de base-ball ? demanda Capshaw.

— Pas vraiment. Elle n'aime pas le sport. C'était un peu une blague, ce cadeau.

— Elle la portait souvent ?

— Je ne l'ai jamais vue la porter. Je ne pense pas qu'elle portait la casquette non plus.

— Pourquoi les Twins ? demanda Capshaw.

— C'est vraiment important ? coupa Mrs Boone, de l'autre côté de la table.

Capshaw tressaillit comme si on l'avait giflé.

— Non. Désolé.

— Où voulez-vous en venir ? demanda Mr Boone.

Les deux policiers poussèrent un profond soupir, puis inspirèrent tout aussi profondément.

— Nous n'avons pas trouvé cette veste dans la chambre d'April, ni dans la maison d'ailleurs, expliqua Slater. Nous pouvons donc supposer qu'elle la portait lorsqu'elle est partie. Il faisait environ quinze degrés, elle a sans doute pris le premier blouson qui lui est tombé sous la main.

— Et les vêtements du cadavre ? demanda Mrs Boone.

Les deux policiers s'agitèrent, mal à l'aise, et échangèrent un regard.

— Nous ne pouvons pas encore nous prononcer à ce stade, madame Boone, répondit Slater.

On leur avait peut-être interdit d'en parler, mais leur langage corporel était facile à interpréter. La veste que Theo venait de décrire correspondait à ce qu'ils avaient trouvé sur le corps. Du moins c'est ce qu'il semblait à Theo.

Ses parents hochèrent la tête comme s'ils comprenaient parfaitement. Mais Theo ne les imita pas. Il aurait voulu mitrailler les policiers de dizaines de questions, mais il n'avait plus l'énergie pour le faire.

— Et les empreintes dentaires ? demanda Mr Boone.

Les policiers prirent un air sombre.

— Impossible, dit Slater.

Cette réponse leur évoqua toutes sortes d'images horribles. Le corps était tellement abîmé et mutilé qu'il n'avait plus de mâchoires.

— Et les tests ADN ? s'enquit aussitôt Mrs Boone.

— En cours, répondit Slater, mais il faudra au moins trois jours.

Capshaw ferma lentement son calepin et rangea son stylo. Slater regarda sa montre. Cette fois, ils étaient prêts à partir. Ils avaient obtenu le renseignement qu'ils voulaient, et s'ils restaient plus longtemps la famille Boone risquait de leur poser d'autres questions sur l'enquête, des questions auxquelles ils ne souhaitaient pas répondre.

Ils remercièrent Theo, exprimèrent leur inquiétude pour son amie, et saluèrent Mr et Mrs Boone.

Theo resta assis à la table, à contempler le mur, emporté dans un tourbillon de peur, de tristesse et d'incrédulité.

10.

La mère de Chase Whipple était aussi avocate. Son père vendait des ordinateurs et c'est lui qui avait installé le système informatique du cabinet des Boone. Les deux couples étaient bons amis et, dans l'après-midi, les mères avaient décidé que leurs garçons avaient besoin de se changer les idées. Peut-être tout le monde, d'ailleurs.

D'aussi loin que Theo se souvenait, ses parents avaient des abonnements pour tous les matchs à domicile de basket et de foot américain de Stratten College. C'était un petit lycée avec une équipe de division III, non loin du centre-ville. Mr et Mrs Boone achetaient des billets pour plusieurs raisons : d'abord, pour soutenir l'équipe locale ; ensuite, pour voir quelques matchs, même si Mrs Boone n'aimait pas le football et se passait du basket-ball ; enfin, pour satisfaire le directeur sportif de l'établissement, individu pugnace, célèbre pour téléphoner aux fans personnellement et les harceler pour qu'ils soutiennent les équipes. Telle était la vie dans une petite ville. Si les Boone ne pouvaient pas se rendre à un match, ils donnaient en général les billets à leurs clients. Cela ne faisait pas de mal aux affaires.

Les Boone retrouvèrent les Whipple au guichet du Memorial Hall, un gymnase de style années 1920 au centre du campus. Ils se dépêchèrent d'entrer et de trouver leurs sièges – au milieu du dixième rang. Le match était commencé depuis trois minutes et les supporters de Stratten criaient déjà à pleins poumons. Theo s'assit à côté de Chase, au bout du banc. Les deux mères surveillaient leurs garçons, comme s'ils en avaient besoin en ce jour particulièrement affreux.

Chase, comme Theo, aimait le sport, mais il regardait plus qu'il ne participait. Chase était un scientifique fou, un génie dans certains domaines et un chimiste expérimental dangereux, qui avait brûlé l'appentis familial lors d'un projet et failli détruire le garage une autre fois. Ses expériences étaient légendaires et tous les professeurs de science du collège l'avaient à l'œil. Quand Chase était au labo, rien n'était sûr. C'était aussi un génie de l'informatique, un geek, un hacker incroyable, ce qui avait également provoqué quelques problèmes.

— C'est quoi, la cote ? chuchota Theo à Chase.

— Stratten est favori à huit contre un.

— Où tu as vu ça ?

— Le site de Greensheet.

Les matchs de basket en division III n'avaient guère les faveurs des joueurs ni des parieurs, mais il existait quelques sites offshore où l'on pouvait consulter les cotes et miser. Theo et Chase ne jouaient pas, ni personne autour d'eux, mais c'était toujours intéressant de savoir quelle équipe était favorite.

— J'ai entendu dire que vous étiez à la rivière quand ils ont trouvé le corps, murmura Chase.

— Qui te l'a dit ?

— Woody. Il m'a tout raconté.

— Bon, on n'a pas vu le cadavre. On a vu quelque chose, mais c'était trop loin.

— Ça devait être le corps, non ? Enfin, la police a trouvé un corps dans la rivière, et vous avez tout vu.

— On parle d'autre chose, Chase, d'accord ?

Jusque-là, Chase n'avait guère montré d'intérêt pour les filles, et encore moins pour April. Et c'était bien réciproque. Theo mis à part, April ne se souciait pas des garçons.

Il y eut un temps mort et les pom-pom girls de Stratten déboulèrent des gradins, bondissant dans les airs. Theo et Chase se turent, observant le spectacle avec attention. Pour deux jeunes de treize ans, les courtes apparitions des pom-pom girls étaient captivantes.

À la fin du temps mort, les équipes revinrent sur le terrain et le match reprit. Mrs Boone se retourna pour regarder les garçons, imitée par Mrs Whipple.

— Pourquoi elles n'arrêtent pas de nous regarder ? marmonna Theo.

— Parce qu'elles se font du souci pour nous. C'est pour ça qu'on est ici, Theo. C'est aussi pour ça qu'on va aller manger une pizza après le match. Elles pensent qu'on n'est vraiment pas bien en ce moment, parce qu'un truand évadé a enlevé une de nos camarades et l'a jetée dans la rivière. Ma mère dit que tous les parents se la jouent un peu protecteurs, en ce moment.

Le meneur de Stratten, qui faisait largement moins d'un mètre quatre-vingts, réussit un smash. La foule partit en délire. Theo essaya d'oublier April, et même Chase, pour se concentrer sur le match. À la mi-temps, ils allèrent chercher du popcorn. Theo appela rapidement Woody pour avoir des nouvelles. Woody et son frère surveillaient les fréquences de la police et regardaient Internet, mais, pour l'instant, rien de nouveau. Aucune identification certaine du corps. Rien. Tout était calme.

Santo était une pizzeria italienne authentique, près du campus. Theo adorait cet endroit parce qu'il y avait toujours une foule de jeunes qui regardaient des matchs sur les télés à grand écran. Les Boone et les Whipple trouvèrent une table et commandèrent deux « pizzas mondialement célèbres de Santo ». Theo n'avait pas l'énergie de s'interroger sur le degré de célébrité des spécialités de Santo, même s'il avait des doutes, comme pour les gaufres de chez Gertrude ou la glace à la menthe de Mr Dudley. Comment une ville aussi petite que Strattenburg pouvait-elle posséder trois plats de renommée mondiale ?

Theo laissa tomber.

Stratten College avait perdu le match à la dernière minute, et Mr Boone estimait que leur entraîneur avait très mal géré ses temps morts. Mr Whipple n'en était pas si sûr, et une discussion animée s'ensuivit. Mrs Boone et Mrs Whipple, toutes deux fort préoccupées par leur travail, se lassèrent rapidement de cette conversation, et se lancèrent de leur côté dans des considérations sur le projet de rénovation de la grande salle du tribunal. Theo, que ces deux sujets intéressaient, s'efforça de les suivre pendant que Chase jouait sur son téléphone. Des étudiants se mirent à chanter dans un coin. Au bar, un groupe applaudissait un match à la télévision.

Tout le monde semblait heureux, et pas le moins du monde inquiet pour April.

Theo, lui, ne désirait qu'une chose : rentrer chez lui.

11.

Vendredi matin. Après une nuit agitée peuplée de rêves, de cauchemars, d'insomnies, de voix et de visions, Theo renonça enfin et s'extirpa du lit à 6 h 30. Assis sur le bord du matelas, il se demandait quelles nouvelles épouvantables ce jour lui apporterait, lorsqu'il sentit l'arôme à nul autre pareil des saucisses, qui s'élevait de la cuisine. Sa mère préparait des pancakes et des saucisses dans les rares occasions où elle pensait que son fils – parfois son mari – avait besoin d'un coup de pouce matinal. Mais Theo n'avait pas faim. Il n'avait aucun appétit, et doutait de le retrouver avant longtemps. Juge, qui avait dormi sous son lit, sortit la tête pour le regarder. Tous deux avaient l'air fatigués et ensommeillés.

— Désolé de t'avoir empêché de dormir, Juge.

Juge accepta ses excuses.

— Cela dit, tu as tout le reste de la journée pour dormir.

Juge semblait d'accord.

Theo éprouva la tentation d'allumer son ordinateur pour regarder les nouvelles locales mais, en fait, il n'en avait pas envie. Puis il eut l'idée de saisir la télécommande et de mettre la télé. Encore une mauvaise idée. Il prit donc une longue douche, s'habilla et prépara son sac. Il allait descendre quand son portable sonna. C'était son oncle Ike.

— Allô, dit Theo, quelque peu surpris qu'Ike fût réveillé de si bonne heure.

Son oncle n'était pas connu pour être du matin.

— Theo, c'est Ike. Bonjour.

— Bonjour, Ike.

La petite soixantaine, Ike insistait pourtant pour que Theo l'appelle par son prénom. Pas d'« oncle » et tout le tralala. Ike était quelqu'un de compliqué.

— À quelle heure tu vas à l'école ?

— D'ici une demi-heure.

— Tu as le temps de passer bavarder ? J'ai des rumeurs très intéressantes que personne ne connaît.

Le rituel familial imposait à Theo de voir Ike à son bureau tous les lundis après-midi. Ces visites duraient en général trente minutes et n'étaient pas toujours agréables. Ike aimait interroger Theo sur ses notes, ses devoirs, son avenir et ainsi de suite, ce qui était fatigant. Ike avait le sermon facile. Ses propres enfants étaient adultes et vivaient loin, et Theo était son seul neveu. Theo ne voyait aucune raison pour que son oncle veuille le voir si tôt un vendredi matin.

— Bien sûr, dit Theo.

— Dépêche-toi, et n'en parle à personne.

— Entendu, Ike.

Theo referma son téléphone en pensant : *Comme c'est bizarre.* Mais il n'avait pas le temps d'y réfléchir. Son cerveau était déjà en surcharge. Juge grattait à la porte, sans doute à cause des saucisses.

Cinq jours par semaine, Woods Boone prenait son petit déjeuner en ville, à la même table du même snack avec le même groupe d'amis et à la même heure, soit 7 heures. Par conséquent, Theo voyait rarement son père le matin. La mère de Theo, encore en robe de chambre, le gratifia d'un léger baiser sur la joue. Ils se dirent bonjour et se demandèrent s'ils avaient bien dormi. Marcella, quand elle n'avait pas d'obligations au tribunal, passait le début du vendredi matin à s'apprêter : cheveux, manucure et pédicure. En tant qu'avocate, elle prenait son apparence au sérieux. Son mari ne se souciait pas autant de la sienne.

— Pas de nouvelles d'April, annonça Mrs Boone.

Le petit téléviseur à côté du micro-ondes était éteint.

— Qu'est-ce que cela veut dire ? demanda Theo en s'asseyant.

Juge se tenait à côté du four, aussi près des saucisses que possible.

— Cela ne signifie rien, du moins pour l'instant, dit Mrs Boone en posant une assiette devant son fils.

Une pile de petits pancakes ronds, trois morceaux de saucisse. Elle lui versa un verre de lait.

— Merci, maman. C'est génial. Et Juge ?

— Bien sûr, dit-elle en déposant une petite assiette devant le chien. Pancakes et saucisse aussi. Mange, ajouta Mrs Boone en s'asseyant.

Elle contempla l'imposant petit déjeuner qui trônait devant son fils. Theo n'eut d'autre choix que de manger comme s'il mourait de faim. Au bout de quelques bouchées, il lança :

— Délicieux, maman.

— J'ai pensé que tu aurais besoin d'un petit déjeuner plus consistant ce matin.

— Merci.

Mrs Boone observa son fils avec attention un moment, puis lui demanda :

— Ça va, Theo ? Je sais que c'est horrible, ce qui se passe. Mais tu tiens le coup ?

C'était plus facile de mâcher que de parler. Theo n'avait aucune réponse. Comment décrire ses émotions quand une amie proche se fait enlever et sans doute jeter à la rivière ? Comment exprimer sa tristesse alors que cette amie, enfant négligée d'une famille bizarre avec des parents dingues, n'avait pas eu beaucoup de chance ?

Theo continuait à manger. Il dut enfin répondre et grogna un vague « Ça va, m'man. » Ce n'était pas vrai mais, à cet instant, c'était le mieux qu'il pouvait faire.

— Tu veux en parler ?

Ah ! la question parfaite.

— Non, dit Theo, je ne veux pas. Ça ne fait qu'empirer les choses.

Sa mère sourit :

— D'accord, je comprends.

Quinze minutes plus tard, Theo bondit sur son vélo, gratta la tête de Juge et dit au revoir. Il dévala l'allée et fila dans Mallard Lane.

Bien avant la naissance de Theo, Ike Boone avait été avocat. Il avait fondé le cabinet avec les parents de Theo. Ils travaillaient en bonne harmonie et prospéraient, jusqu'au jour où Ike fit une erreur. Quelque chose de mal. Quoi que ce fût, on n'en parlait pas en présence de Theo. Naturellement curieux, et élevé par deux juristes, Theo tâchait depuis des années d'en savoir plus sur la chute mystérieuse d'Ike, mais sans grand succès. Toute indiscrétion de sa part se heurtait à un sec « Nous en parlerons quand tu seras plus grand » de son père. Sa mère, elle, optait généralement pour quelque chose du genre : « Ton père t'expliquera un jour. »

Theo n'avait appris que le minimum vital : *a)* Ike avait autrefois été un avocat fiscaliste brillant et reconnu, *b)* il avait passé plusieurs années en prison, *c)* il avait été rayé du barreau et ne pourrait plus jamais être avocat, *d)* tandis qu'il était en prison, sa femme avait divorcé et quitté Strattenburg avec leurs trois enfants, *e)* ces enfants, les cousins germains de Theo, étaient bien plus âgés que lui et il ne les avait jamais rencontrés, et *f)* les relations entre Ike et les parents de Theo n'étaient pas extraordinaires.

Ike gagnait péniblement sa vie comme comptable et conseiller fiscal pour de petites entreprises et quelques autres clients. Il vivait seul dans un appartement minuscule. Il aimait se considérer comme un marginal, un rebelle même, en lutte contre l'ordre établi. Il portait des vêtements bizarres, de longs cheveux gris noués en queue-de-cheval, des sandales (même par temps froid) et passait en général Grateful Dead ou Bob Dylan sur la stéréo bon marché de son bureau. Il travaillait au-dessus d'une épicerie grecque, dans une vieille pièce merveilleusement miteuse, entouré d'étagères chargées de livres jamais ouverts.

Theo gravit l'escalier quatre à quatre, frappa, ouvrit et entra tranquillement dans le bureau d'Ike, comme si les lieux lui appartenaient. Ike était à son bureau, encore plus encombré que celui de son frère Woods, sirotant du café dans une grande tasse en carton.

— S'lut, Theo, grogna-t-il comme un ours.

— Salut, Ike.

Theo se laissa tomber sur une chaise en bois délabrée près du bureau.

— Comment ça va ?

Ike se pencha vers lui. Il avait les yeux rouges et bouffis. Au fil des ans, Theo avait entendu quelques rumeurs sur Ike et la boisson, et il supposait que c'était l'une des raisons des difficultés matinales de son oncle.

— Tu dois t'inquiéter pour ton amie, la petite Finnemore ? demanda Ike.

— Oui.

— Eh bien, tu peux arrêter. C'est pas elle. Le corps qu'ils ont sorti de la rivière semble être celui d'un homme, pas d'une fille. Ils n'en sont pas sûrs. L'ADN le confirmera d'ici un jour ou deux, mais la personne fait, ou faisait, un mètre soixante-cinq. Ton amie mesure un bon mètre cinquante, c'est ça ?

— Oui, je crois.

— Le corps est dans un état de décomposition extrême, ce qui indique qu'il a passé plus de quelques jours dans l'eau. Ton amie a été enlevée mardi dans la nuit ou mercredi au petit matin. Si son ravisseur l'avait jetée dans l'eau peu de temps après, le cadavre ne serait pas dans cet état. C'est une vraie bouillie, avec plein de bouts qui manquent. Il a dû passer au moins une semaine dans la rivière.

Theo assimila la nouvelle. Il était stupéfait, soulagé, et ne put s'empêcher de sourire, envahi par l'apaisement.

— La police va faire l'annonce à neuf heures ce matin. Je me suis dit que tu apprécierais peut-être d'avoir un peu d'avance.

— Merci, Ike.

— En revanche, ils refusent de reconnaître l'évidence, c'est-à-dire qu'ils ont perdu ces deux dernières journées avec leur théorie sur Jack Leeper qui aurait kidnappé, tué et jeté la fille dans la rivière. Leeper n'est qu'un truand qui raconte des salades, et les flics ont couru après le mauvais type. Et ça, la police n'en parlera pas.

— Qui t'a dit tout ça ? demanda Theo, qui sut aussitôt que ce n'était pas la bonne question, parce qu'Ike n'y répondrait pas.

Son oncle sourit, frotta ses yeux rougis et dit :

— J'ai des amis, Theo, et pas les mêmes qu'autrefois. Mes amis de maintenant viennent d'un autre quartier. Ils n'habitent pas de grands immeubles ni de belles maisons. Ils sont plus près de la rue.

Theo savait qu'Ike jouait beaucoup au poker, et qu'il y avait des avocats et des policiers en retraite parmi ses partenaires. Ike aimait aussi donner l'impression qu'il disposait d'un vaste cercle d'amis mystérieux qui observaient tout dans l'ombre et étaient donc au courant de ce qui se disait dans la rue. Il y avait une part de vérité. L'année précédente, l'un de ses clients avait été condamné pour avoir organisé un petit trafic de drogue. En tant que comptable de cet individu, Ike avait été appelé à témoigner et son nom avait été cité dans les journaux.

— J'entends plein de trucs, Theo, ajouta Ike.

— Alors, qui est le type qu'ils ont sorti de l'eau ?

Ike sirota son café :

— On ne le saura jamais, sans doute. Ils ont remonté la rivière sur trois cents kilomètres, mais aucune disparition n'a été signalée depuis un mois. Tu as entendu parler de l'affaire Bates ?

— Non.

— Il y a une quarantaine d'années.

— Ike, j'ai treize ans.

— C'est vrai. Enfin bref, ça s'est passé pas loin, à Rooseburg. Un soir, un truand nommé Bates a mis en scène sa propre mort. Il a enlevé un inconnu, l'a assommé, l'a mis dans sa voiture, une belle Cadillac qu'il a envoyée dans le fossé et incendiée. La police et les pompiers sont arrivés, mais le véhicule était déjà en flammes. On a retrouvé un tas de cendres et on a cru que c'étaient celles de Mr Bates. Il y a eu des funérailles, un enterrement, comme d'habitude. Mrs Bates a touché l'assurance vie, et on a oublié Mr Bates – jusqu'à ce qu'il soit arrêté au Montana, trois ans plus tard, à la sortie d'un bar. On l'a ramené ici pour qu'il s'explique. Il a plaidé coupable. La grande question, c'est : qui était le type qui a grillé dans sa voiture ? Mr Bates dit qu'il ne sait pas, qu'il n'a jamais su son nom, qu'il l'a ramassé un soir parce qu'il faisait de l'auto-stop. Trois heures plus tard, le gars était réduit en cendres. Il est monté dans la mauvaise voiture. Bates a été condamné à perpétuité.

— Qu'est-ce que tu veux dire, Ike ?

— Ce que je veux dire, mon cher neveu, c'est qu'on risque de ne jamais savoir qui les flics ont sorti de la rivière. Il y a une catégorie de gens, Theo, des vagabonds, des traîne-savates, des sans-abri, qui vivent dans un monde souterrain. Ils n'ont pas de nom, pas de visage ; ils vont de ville en ville, en sautant dans des trains ou en auto-stop ; ils vivent dans les bois et sous les ponts. Ils ont laissé la société derrière eux. Et, de temps en temps, il leur arrive malheur. Ils vivent dans un monde dur et violent, et nous les voyons rarement, parce qu'ils ne désirent pas être vus. À mon avis, le corps que les flics examinent ne sera jamais identifié. Mais ce n'est pas là l'essentiel. La bonne nouvelle, c'est que ce n'est pas ton amie.

— Merci, Ike. Je ne sais pas quoi dire d'autre.

— J'ai pensé que tu aimerais entendre une bonne nouvelle.

— C'est une très bonne nouvelle, Ike. J'étais malade d'inquiétude.

— C'est ta petite amie ?

— Non, juste une très bonne amie. Elle vient d'une famille bizarre et je dois être l'un des rares de son âge à qui elle se confie.

— Elle a de la chance d'avoir un ami comme toi, Theo.

— Eh bien... merci.

Ike se détendit et posa les pieds sur son bureau. Toujours des sandales, avec des chaussettes rouge vif. Il sourit à son neveu.

— Qu'est-ce que tu sais de son père ?

Theo s'agita, mal à l'aise, sans trop savoir quoi répondre.

— Je l'ai rencontré une fois, chez eux. La mère d'April avait organisé une fête pour son anniversaire, il y a deux ans. Ç'a été un désastre, parce que la plupart de ses camarades ne sont pas venus. Leurs parents n'aimaient pas l'idée qu'ils aillent chez les Finnemore. Mais moi j'y suis allé, avec trois autres, et son père était là. Il avait la barbe et les cheveux longs, et il semblait mal à l'aise avec nous. April m'en a pas mal parlé, depuis qu'on se connaît. Il va et vient, et elle préfère quand il n'est pas là. Il joue de la guitare et écrit des chansons – April dit qu'elles sont mauvaises – et il rêve toujours de devenir un musicien célèbre.

— Je connais ce type, dit Ike avec un sourire supérieur. Ou plutôt, j'ai entendu parler de lui.

— Comment ça ? demanda Theo, pas vraiment surpris qu'Ike connaisse d'autres personnes étranges.

— J'ai un ami qui joue avec lui de temps en temps. Il dit que c'est un glandeur. Il passe beaucoup de temps avec un groupe pouilleux de quadragénaires minables. Ils font des petites tournées, ils jouent dans des bars ou des maisons d'étudiants. Je ne serais pas étonné qu'il y ait aussi des histoires de drogue.

— Ça m'a l'air d'être ça. April m'a dit qu'une fois il a disparu pendant un mois. Je pense qu'il se dispute beaucoup avec sa femme. C'est une famille très malheureuse.

Ike se leva lentement et se dirigea vers la chaîne stéréo installée dans une bibliothèque. Il appuya sur un bouton et de la musique folk se fit entendre en fond sonore. Ike reprit, tout en réglant le volume :

— Eh bien, à mon avis, la police devrait chercher le père. C'est sans doute lui qui a pris la fille et s'est envolé quelque part.

— Je ne suis pas sûr qu'April aurait accepté de partir avec lui. Elle ne l'aime pas et ne lui fait pas confiance.

— Pourquoi est-ce qu'elle n'a pas essayé de te contacter ? Elle n'a pas de portable – téléphone ou ordinateur ? Vous ne passez pas votre temps à tchatter sur Internet, les jeunes ?

— La police a retrouvé son ordinateur dans sa chambre, et ses parents ne lui permettaient pas d'avoir un téléphone. Elle m'a dit une fois que son père en a horreur et qu'il n'en a pas. Il ne veut pas qu'on puisse le joindre quand il est sur la route. Je suis sûr qu'April essaierait de me contacter si elle le pouvait. Peut-être que son ravisseur ne la laisse pas s'approcher d'un téléphone.

Ike se rassit et regarda son carnet. Theo devait partir au collège, qui était à dix minutes de vélo en prenant tous les raccourcis.

— Je vais voir ce que je peux trouver sur son père, dit Ike. Appelle-moi, après l'école.

— Merci, Ike. Et j'imagine que c'est top secret, la grande nouvelle pour April ?

— Pourquoi ce serait un secret ? La police l'annoncera d'ici une heure. Et, à mon avis, elle aurait dû en informer le public hier soir. Mais non, la police aime organiser des conférences de presse, pour rendre les choses aussi dramatiques que possible. Tu peux en parler à qui tu veux. Le public a le droit de savoir.

— Super. J'appellerai maman sur le chemin.

12.

Quinze minutes plus tard, Mr Mount avait fait s'asseoir sa classe dans le calme, avec moins de difficultés que d'habitude. Les garçons étaient de nouveau sous le choc. On échangeait beaucoup de rumeurs, mais à voix basse. Mr Mount regarda les élèves et déclara gravement :

— Messieurs, Theo a des informations concernant la disparition d'April.

Theo se leva lentement et s'avança vers le premier rang. L'un de ses avocats préférés en ville était un certain Jesse Meelbank. Quand Mr Meelbank plaidait, Theo essayait autant que possible d'y assister. L'été précédent, il y avait eu un long procès : Mr Meelbank poursuivait une compagnie de chemin de fer pour la mort tragique d'une jeune femme, et Theo avait observé les audiences pendant neuf jours d'affilée. C'était fabuleux. Ce qu'il adorait chez Mr Meelbank, c'était sa manière de se tenir dans la salle. Il se déplaçait avec grâce, mais d'un air décidé, jamais pressé mais sans jamais perdre de temps. Lorsqu'il s'apprêtait à parler, il regardait le témoin, le juge ou le jury et marquait une pause théâtrale avant de prendre la parole. Et quand il parlait, c'était sur un ton amical, décontracté, comme s'il improvisait, mais pas un mot, pas une syllabe n'était en trop. Tout le monde écoutait Jesse Meelbank, et il perdait rarement ses procès. Souvent, seul dans sa chambre ou dans son bureau, porte verrouillée, Theo s'adressait au jury d'un ton théâtral, et il imitait toujours Mr Meelbank.

Theo resta un instant silencieux et, quand il eut toute l'attention de la classe, il déclara :

— Comme nous le savons tous, hier la police a retrouvé un cadavre dans la rivière. Tous les médias en ont parlé, en laissant entendre que le corps était celui d'April Finnemore. (Theo croisa les regards inquiets de ses camarades et marqua un temps pour préparer son effet.) Cependant, je dispose d'une source fiable qui m'a assuré du contraire : le corps n'est pas celui d'April. Il s'agit d'un homme d'un mètre soixante-cinq environ, et ce malheureux est resté longtemps dans l'eau. Il est vraiment décomposé.

Des sourires apparurent sur tous les visages. Il y eut même un ou deux applaudissements.

Comme Theo connaissait tous les avocats, juges, greffiers et quasiment tous les policiers de la ville, sa parole avait beaucoup de poids auprès de ses camarades, au moins sur ce genre de sujet. Quand on parlait de chimie, de musique, de cinéma ou de la guerre de Sécession, il n'était pas expert et ne prétendait pas l'être. Mais quand on en venait au droit, aux tribunaux et au système judiciaire, Theo était l'homme de la situation.

Il reprit :

— À neuf heures, la police l'annoncera à la presse. C'est certainement une bonne nouvelle, mais le fait est qu'April a toujours disparu et que la police n'a pas beaucoup de pistes.

— Et Jack Leeper ? demanda Aaron.

— Il est toujours soupçonné, mais il refuse de coopérer.

Les garçons s'animèrent soudain. Ils posèrent à Theo toutes sortes de questions, auxquelles il ne put répondre, et ils discutèrent entre eux. Quand la cloche sonna, les élèves filèrent à leur premier cours et Mr Mount alla au bureau de la principale répéter la bonne nouvelle. Elle se répandit comme une traînée de poudre en salle des professeurs, puis dans les couloirs, dans les salles de classe, et même dans les toilettes et à la cafétéria.

Quelques minutes avant 9 heures, Mrs Gladwell, la principale, interrompit les cours avec une annonce par haut-parleur. Tous les quatrième devaient se rendre immédiatement à l'auditorium pour une assemblée extraordinaire. La veille, l'administration avait organisé la même réunion, lorsque Mrs Gladwell avait tenté de calmer les inquiétudes.

Les élèves entrèrent dans l'auditorium. Deux hommes d'entretien installaient un grand téléviseur.

Mrs Gladwell fit signe à tout le monde de s'asseoir rapidement, puis lança : « Votre attention, s'il vous plaît ! » Elle disait « s'il vous plaît » d'une voix agaçante, en allongeant le dernier mot : « s'il vous *plèèèèè* ». On l'imitait souvent à la cafétéria ou dans la cour, surtout les garçons. Derrière elle, l'écran s'alluma, sans le son, sur un talk-show matinal. La principale poursuivit :

— À neuf heures, la police va faire une annonce importante dans l'affaire April Finnemore, et je me suis dit que ce serait merveilleux si nous pouvions le voir en direct et vivre ce moment ensemble. S'il vous *plèèèè*, pas de questions.

Elle consulta sa montre, puis regarda l'écran :

— Passez sur Channel 28, demanda-t-elle.

Strattenburg n'avait que deux chaînes hertziennes et deux câblées. Channel 28 était sans doute la plus fiable – en général, elle se trompait moins que les autres. Theo avait assisté une fois à un procès important où Channel 28 était poursuivie par un médecin qui affirmait qu'un de ses journalistes avait fait de fausses déclarations à son sujet. Le jury crut le médecin, comme Theo, et lui fit verser une grosse indemnité.

Channel 28 diffusait un autre talk-show matinal, qui s'ouvrait non sur les nouvelles mais sur les derniers détails ébouriffants d'un divorce de star. Heureusement, le son était toujours coupé. Les élèves attendirent patiemment, en silence.

Il y avait une pendule au mur. Lorsque la grande aiguille arriva sur le 5, Theo commença à s'agiter.

Certains élèves chuchotaient. On passa du divorce de star à une préparation de cérémonie nuptiale, où toutes sortes de professionnels douteux s'agitaient autour d'une mariée boulotte et assez quelconque. Un coach essayait de la forcer à mincir en lui hurlant dessus. Un homme aux ongles peints la recoiffait. Un type franchement bizarre lui appliquait un nouveau maquillage à la truelle. Et ainsi de suite, sans guère d'amélioration. Vers 9 h 15, la mariée était prête. On aurait dit une personne différente et il était évident, même sans le son, que le marié préférait la version originale.

Mais, à cet instant, Theo était trop nerveux pour s'en soucier. Mr Mount se glissa à côté de lui et chuchota :

— Theo, tu es sûr que la police va faire cette annonce ?

Theo répondit d'un air assuré :

— Oui, monsieur.

Mais toute sa confiance avait disparu. Theo se serait donné des gifles pour avoir ouvert sa grande bouche et joué les monsieur-je-sais-tout. Il aurait aussi giflé Ike. Il eut la tentation de sortir discrètement son téléphone de sa poche et d'envoyer un SMS à Ike pour savoir ce qui se passait. Que faisait la police ? Cela dit, l'école suivait une politique stricte en matière de téléphones portables. Seuls les plus grands pouvaient les avoir sur eux dans les locaux, et appels, SMS et mails n'étaient autorisés qu'au déjeuner et aux récréations. Si on était pris à se servir de son appareil à d'autres moments, on se le faisait confisquer. La moitié des élèves avaient des portables. De nombreux parents l'interdisaient toujours.

— Eh, Theo, il se passe quoi ? lança Aaron Helleberg à plein volume (il était assis derrière Theo, à trois sièges d'écart).

Theo haussa les épaules.

— Ils ne sont jamais à l'heure.

Après la mariée boulotte, ce fut l'heure des nouvelles matinales. Des inondations avaient fait des milliers de victimes en Inde, et Londres avait subi une tempête de neige monstrueuse. Une fois le journal terminé, l'un des présentateurs entama l'interview exclusive d'un top model.

Theo avait l'impression que tous les regards pesaient sur lui. Anxieux, il respirait avec difficulté, et une pensée atroce lui vint : et si Ike se trompait ? S'il avait cru à de fausses informations et que la police n'était pas certaine, pour le cadavre ?

Est-ce que Theo n'aurait pas l'air bête ? Bien sûr que si, mais ce ne serait rien si c'était bien April que la police avait sortie de l'eau.

Theo se leva soudain et alla voir Mr Mount, qui était avec deux autres professeurs.

— J'ai une idée, dit-il en essayant d'avoir l'air sûr de lui. Pourquoi n'appelez-vous pas le poste de police pour savoir ce qui se passe ?

— Et qui est-ce que j'appellerais ? demanda Mr Mount.

— Je vous donne le numéro, dit Theo.

Mrs Gladwell s'approcha, regardant Theo d'un air sévère.

— Pourquoi tu n'appellerais pas, toi, Theo ? demanda Mr Mount.

C'était exactement ce que Theo voulait entendre. Il s'adressa très poliment à la principale :

— Puis-je me rendre dans le couloir et appeler la police ?

Mrs Gladwell, que la situation rendait très nerveuse elle aussi, acquiesça.

— Oui, dépêche-toi.

Theo disparut. Il sortit dans le couloir avec son téléphone et appela Ike. Pas de réponse. Il appela la police, mais la ligne était occupée. Il appela Elsa à son bureau et lui demanda si elle avait appris quelque chose. Non, rien. Il réessaya Ike. Pas de réponse. À cet instant affreux, il essaya de penser à quelqu'un d'autre, mais en vain. Il regarda l'heure : 9 h 27.

Theo contempla la grande porte métallique donnant sur l'auditorium, où environ cent soixante-quinze de ses camarades et une dizaine de professeurs attendaient de très bonnes nouvelles d'April, des nouvelles que Theo avait apportées à l'école de manière aussi théâtrale que possible. Il savait qu'il devait ouvrir la porte et retourner à son siège. Il eut envie de partir, d'aller quelque part dans les locaux et de s'y cacher pendant une heure. Il pourrait prétendre qu'il avait eu mal au ventre, ou une crise d'asthme. Il pouvait se cacher dans la bibliothèque ou au gymnase.

La poignée de la porte tourna. Theo colla son téléphone à l'oreille, comme s'il était plongé dans sa conversation. Mr Mount sortit, le regarda d'un air interrogateur et articula silencieusement : « Tout va bien ? » Theo sourit et hocha la tête, comme s'il avait la police en ligne et qu'elle faisait exactement ce qu'il voulait. Mr Mount retourna à l'auditorium.

Theo pouvait : *a)* s'enfuir et se cacher, *b)* limiter les dégâts avec un petit mensonge, du genre « L'annonce de la police a été retardée », ou *c)* en rester à son plan de départ et prier pour qu'un miracle se produise. Il aurait voulu jeter des pierres à Ike. Il serra les dents et ouvrit la porte. Tout le monde se tourna vers lui. Mrs Gladwell bondit sur lui :

— Qu'est-ce qui se passe, Theo ? demanda-t-elle, les yeux étincelants.

— Ils devraient l'annoncer d'une minute à l'autre, déclara-t-il.

— À qui est-ce que tu as parlé ? demanda Mr Mount.

Une question directe, que Theo esquiva :

— Ils ont des problèmes techniques. Encore quelques petites minutes.

Mr Mount fit une moue incrédule. Theo regagna rapidement son siège et essaya de se rendre invisible, se concentrant sur l'écran de télévision, où un chien éclaboussait de peinture une toile blanche, grâce à deux brosses à dents qu'il tenait dans la gueule. Le présentateur hurlait de rire. *Allez,* pensa Theo, *sauvez-moi, quoi.* Il était 9 h 35.

— Alors, Theo, encore un scoop ? lança Aaron.

Plusieurs élèves se mirent à rire.

— Au moins, on n'est pas en classe, riposta Theo.

Dix minutes passèrent. Le chien peintre céda la place à un cuisinier obèse qui construisait une pyramide de champignons et faillit pleurer quand elle s'effondra. Mrs Gladwell se posta devant le téléviseur, jeta un regard furieux à Theo, et déclara :

— Bon, il vous faut retourner en cours.

À cet instant, l'annonce « FLASH SPÉCIAL » apparut sur l'écran. Quelqu'un mit le son, et Mrs Gladwell s'écarta en hâte. Theo poussa un soupir et remercia Dieu de ce miracle.

Le chef de la police se tenait derrière un pupitre, une rangée d'agents en uniforme derrière lui. À l'extrême droite, on voyait l'inspecteur Slater en costume-cravate. Ils avaient tous l'air épuisés.

Lisant ses notes, le chef livra les informations qu'Ike avait communiquées à Theo deux heures plus tôt. On attendait les tests ADN pour confirmation, mais il était presque certain que le corps extrait de la rivière n'était pas celui d'April Finnemore. L'homme fournit des détails sur la taille et l'état du corps, qu'ils s'efforçaient d'identifier, et il donna l'impression qu'ils avançaient. Quant à April, ils suivaient de nombreuses pistes. Les journalistes posèrent un tas de questions, et le chef parla beaucoup, mais sans dire grand-chose.

Une fois la conférence de presse terminée, les élèves étaient soulagés, mais toujours inquiets. La police n'avait aucune idée de l'endroit où se trouvait April, ni de l'identité de son ravisseur. Jack Leeper restait le principal suspect. Au moins, elle n'était pas morte – ou, si elle l'était, ils ne le savaient pas encore.

En quittant l'auditorium pour retourner en cours, Theo se rappela qu'il lui faudrait être plus prudent la prochaine fois. Il avait failli être la risée de toute l'école.

Pendant la pause-déjeuner, Theo, Woody, Chase, Aaron et quelques autres parlèrent de reprendre les recherches après les cours. Mais le temps était menaçant, et l'on prévoyait de fortes pluies pour l'après-midi, jusqu'en soirée. Au fil des jours, ils étaient de moins en moins nombreux à croire qu'April se trouvait encore à Strattenburg. Pourquoi, alors, parcourir les rues à sa recherche tous les après-midi, si personne ne pensait qu'on la retrouverait ?

Theo, lui, était décidé à continuer, qu'il pleuve ou non.

13.

Au milieu du cours de chimie, tandis qu'une pluie battante giflait les vitres, Theo essayait d'écouter Mr Tubcheck quand il sursauta à l'appel de son nom. C'était encore Mrs Gladwell, dans le haut-parleur.

— Monsieur Tubcheck, Theodore Boone est-il en classe ? glapit-elle, faisant sursauter tout le monde.

Theo se leva d'un bond, le cœur battant. *Où est-ce que je pourrais être, en ce moment ?* pensa-t-il.

— Il est là, répondit Mr Tubcheck.

— Envoyez-le dans mon bureau, s'il vous plaît.

Theo s'avança lentement dans le couloir, tâchant désespérément de comprendre pourquoi la principale avait besoin de le voir. Il était 14 heures, un vendredi. La semaine était presque terminée, et quelle semaine lamentable ç'avait été. Peut-être que Mrs Gladwell lui en voulait encore pour le retard de la conférence de presse, mais Theo n'y croyait guère. Cela s'était bien terminé. Il n'avait rien à se reprocher de toute la semaine, n'avait enfreint aucun règlement, insulté personne, il avait fait ses devoirs... Theo abandonna. Il n'était pas vraiment inquiet. Deux ans plus tôt, la fille aînée de Mrs Gladwell avait vécu un divorce pénible, et Marcella Boone avait été son avocate.

Miss Gloria, la secrétaire un peu fouineuse, était au téléphone. Elle lui fit signe d'entrer dans le grand bureau. Mrs Gladwell l'accueillit sur le seuil et le fit entrer.

— Theo, je te présente Anton, dit-elle en fermant la porte.

Anton était un garçon maigre à la peau très noire. Mrs Gladwell expliqua :

— Il est dans la classe de sixième de Miss Spence.

Theo lui serra la main :

— Bonjour, Anton.

Anton ne répondit rien. Sa poignée de main était molle. Theo en déduisit aussitôt qu'il devait avoir de gros ennuis et qu'il était terrifié.

— Assieds-toi, Theo, dit la principale. (Il obéit.) Anton vient d'Haïti. Il est arrivé ici il y a plusieurs années et il vit avec des gens de sa famille à la limite de la ville, dans Barkley Street, près de la Carrière.

En prononçant ce dernier mot, Mrs Gladwell regarda Theo d'un air entendu. La Carrière n'était pas le meilleur quartier de la ville. En fait, la plupart de ses habitants étaient pauvres, beaucoup étaient immigrants, avec ou sans papiers.

— Ses parents travaillent en dehors de la ville, et Anton vit avec ses grands-parents. Est-ce que tu reconnais cela ? demanda Mrs Gladwell en tendant un papier à Theo.

Il y jeta un œil et soupira :

— Oh, mon Dieu.

— Tu connais le tribunal pour animaux, Theo ? demanda Mrs Gladwell.

— Oui, j'y suis allé plusieurs fois. J'ai sauvé mon chien là-bas.

— Veux-tu bien nous expliquer ce qui se passe, pour qu'Anton et moi comprenions ?

— Bien sûr. C'est une convocation en vertu du règlement 3, délivrée par le juge Yeck, du tribunal des animaux. Ça dit que Pete a été placé en détention hier par la fourrière.

— Ils sont venus à la maison et ils l'ont pris, expliqua Anton. Ils ont dit qu'il était en état d'arrestation. Pete était effrayé.

Theo parcourut la convocation :

— Ça dit que Pete est un perroquet gris d'Afrique, d'âge inconnu.

— Il a cinquante ans. Il est dans ma famille depuis longtemps.

Theo regarda Anton et vit qu'il avait les yeux brillants de larmes.

— L'audience est fixée aujourd'hui à seize heures, au tribunal pour animaux. Le juge Yeck décidera quoi faire de Pete. Est-ce que tu sais ce que Pete a fait de mal ?

— Il a fait peur à des gens, dit Anton. C'est tout ce que je sais.

— Tu peux nous aider, Theo ? demanda Mrs Gladwell.

— Bien sûr, dit Theo, en hésitant un peu.

En vérité, Theo adorait le tribunal pour animaux, parce que n'importe qui, y compris un collégien de treize ans, pouvait s'y représenter lui-même. Les avocats n'étaient pas obligatoires, et le juge Yeck était très laxiste sur la procédure. Yeck était un inadapté qui s'était fait virer de plusieurs cabinets d'avocats, il était incapable de travailler vraiment comme juriste et n'appréciait guère d'être le dernier juge de la ville. La plupart des avocats évitaient « la cour du chiot », qu'ils estimaient indigne d'eux.

— Merci, Theo.

— Mais il faut que je parte tout de suite, dit aussitôt Theo. Il me faut du temps pour me préparer.

— Tu peux y aller, dit la principale.

À 16 heures, Theo descendit l'escalier menant au sous-sol du tribunal, passa devant des archives et arriva à une porte en bois avec l'inscription « Tribunal pour animaux – Juge Sergio Yeck ». Theo était nerveux, mais aussi excité. Dans quel autre endroit un jeune de treize ans pouvait-il défendre une affaire et faire semblant d'être un vrai avocat ? Theo portait une serviette en cuir, l'une des vieilles d'Ike. Il ouvrit la porte.

Quoi qu'ait fait Pete, il l'avait fait à fond. Theo n'avait jamais vu autant de gens dans ce tribunal. Du côté gauche de la petite salle se trouvait un groupe de femmes d'âge mûr. Elles portaient toutes des pantalons d'équitation moulants et des bottes de cuir noir montant jusqu'aux genoux, et elles avaient l'air très mécontentes. À droite, aussi loin que possible d'elles, se tenaient Anton et deux Noirs âgés. Tous trois semblaient terrorisés. Theo alla leur dire bonjour. Anton lui présenta ses grands-parents, dont les noms échappèrent à Theo. Leur anglais était correct, mais ils avaient un fort accent. Anton dit quelque chose à sa grand-mère. Elle regarda Theo et demanda :

— C'est toi, notre avocat ?

— Oui, fut tout ce que Theo trouva à répondre.

Elle se mit à pleurer.

Une porte s'ouvrit dans le fond et le juge apparut. Il alla s'asseoir à son bureau. Comme d'habitude, Sergio Yeck portait un jean, des bottes de cow-boy, pas de cravate et une veste de sport fatiguée. La robe noire n'était pas nécessaire à « la cour du chiot ». Le juge prit un papier et jeta un œil dans la salle. L'essentiel des affaires figurant sur sa liste ne retint pas son attention. Dans la plupart des cas, il s'agissait de chats ou de chiens récupérés par la fourrière. Sergio Yeck appréciait donc quand survenait un petit litige.

Après s'être raclé la gorge, il déclara :

— Je vois que nous avons ici une affaire impliquant Pete le perroquet. Ses propriétaires sont Mr et Mrs Régnier.

Il se tourna vers les Haïtiens pour qu'ils confirment. Theo se lança :

— Votre Honneur, je représente les euh... propriétaires.

— Ah, tiens ! bonjour Theo. Comment ça va ?

— Très bien, monsieur le juge, merci.

— Ça doit faire un mois que je ne t'ai pas vu.

— Oui, monsieur, j'ai été occupé. Les cours, tout ça...

— Comment vont tes parents ?

— Bien, très bien.

Theo avait fait sa première apparition au tribunal des animaux deux ans plus tôt, lors d'une plaidoirie de dernière minute pour sauver la vie d'un bâtard dont personne ne voulait. Theo avait ramené le chien chez lui et l'avait appelé Juge.

— Veuillez vous avancer, dit Yeck.

Theo conduisit les trois Régnier derrière la petite barrière, près d'une table située à droite. Une fois qu'ils furent assis, le juge reprit :

— La plainte a été déposée par Kate Spangler et Judy Cross, propriétaires des Écuries SC.

Un jeune homme bien habillé surgit de nulle part et déclara :

— Oui, Votre Honneur, je représente Miss Spangler et Miss Cross.

— Et qui êtes-vous ?

— Je m'appelle Kevin Blaze, Votre Honneur, du cabinet Macklin.

Theo sentit soudain comme un coup de couteau à l'abdomen. Son adversaire était un vrai avocat !

Blaze s'avança en roulant des mécaniques, son attaché-case tout neuf étincelant à la main. Il posa une carte de visite devant le juge. Le cabinet Macklin existait depuis des années et comptait une vingtaine d'avocats. Theo n'avait jamais entendu parler de Mr Blaze. Sergio Yeck non plus, manifestement. Il était évident, du moins pour Theo, que la confiance excessive qu'affichait le jeune juriste n'était pas appréciée.

Blaze fit s'asseoir ses deux clientes, comme il convenait, à la table du côté gauche. Une fois tout le monde installé, le juge demanda :

— Dis, Theo, tu n'es pas propriétaire d'un morceau de ce perroquet, n'est-ce pas ?

— Non, monsieur.

— Alors, pourquoi es-tu là ?

Theo resta assis. Au tribunal pour animaux, on se dispensait de toutes les formalités. Les avocats ne se levaient pas. Il n'y avait pas de barre pour les témoins, aucun serment, aucune règle pour les preuves, et certainement aucun jury. Le juge menait ses audiences tambour battant et prenait ses décisions sur-le-champ. Mais, malgré son travail sans ambition, Sergio Yeck était réputé pour son équité.

— Eh bien, euh..., commença maladroitement Theo. Vous voyez, Votre Honneur, Anton va à mon collège, et sa famille est d'Haïti, et ils ne comprennent pas notre système.

— Quelqu'un le comprend ? marmonna le juge.

— En fait, je suis là pour rendre service à un ami.

— Je comprends, Theo, mais normalement c'est le propriétaire de l'animal qui doit le défendre, ou alors il engage un avocat. Tu n'es pas le propriétaire, et tu n'es pas avocat – pas encore.

— Non, monsieur.

Kevin Blaze se leva d'un bond et déclara sèchement :

— Je fais objection à sa présence, Votre Honneur.

Le juge se détourna lentement de Theo et posa un regard lourd sur le visage enthousiaste du jeune Kevin Blaze. Il y eut un long silence, une pause durant laquelle personne ne parla ni même ne sembla respirer. Enfin, Yeck ordonna :

— Asseyez-vous.

Blaze obéit et le juge reprit :

— Et restez assis. Ne vous relevez pas sauf si je vous le demande. Alors, monsieur Blaze, ne voyez-vous pas que je m'interroge précisément sur la présence de Theodore Boone dans cette affaire ? Cela ne vous paraît-il pas évident ? Je n'ai pas besoin de votre aide. Votre objection est inutile. Elle n'est ni rejetée ni acceptée, elle est simplement ignorée.

Il y eut un nouveau long silence. Le juge regardait le groupe de femmes assises derrière la table de gauche. Il les montra du doigt et demanda :

— Qui sont ces gens ?

Blaze, étreignant les accoudoirs de sa chaise, répondit :

— Ce sont les témoins, Votre Honneur.

Cette réponse ne satisfit visiblement pas Yeck.

— D'accord, alors voilà comment je fonctionne, monsieur Blaze. Je préfère quand les audiences sont courtes. Je préfère quand il y a peu de témoins. Et je n'ai vraiment aucune patience pour les témoins qui répètent les mêmes choses que les témoins précédents. Comprenez-vous cela, monsieur Blaze ?

— Oui, monsieur.

Le juge se tourna vers Theo :

— Merci de vous intéresser à cette affaire, monsieur Boone.

— Je vous en prie, monsieur le juge.

Yeck jeta un coup d'œil au papier et dit :

— Bien. Maintenant, j'imagine qu'il nous faut voir Pete.

Il fit un signe au très vieux greffier, qui disparut un instant puis revint avec un huissier en uniforme qui tenait une cage en fil de fer bon marché. Il la posa sur le coin du bureau du juge. À l'intérieur se trouvait Pete, un perroquet gris d'Afrique, long de trente-cinq centimètres du bec à la queue. Pete tourna la tête de tous côtés, observant cet endroit étrange.

— Tu dois être Pete, dit le juge.

— Je suis Pete, dit l'animal d'une voix claire et haut perchée.

— Content de faire ta connaissance. Je suis le juge Yeck.

— *Yek yek yek !* cria Pete.

Tout le monde se mit à rire, sauf les dames en bottes noires. Elles semblaient encore plus mécontentes, et Pete ne les amusait pas du tout.

Le juge poussa un long soupir, comme si l'audience risquait de prendre plus de temps qu'il ne l'aurait souhaité.

— Appelez votre premier témoin, dit-il à Kevin Blaze.

— Oui, Votre Honneur. Nous allons commencer par Kate Spangler, je pense.

Blaze se tourna vers sa cliente. Il avait évidemment envie de se lever pour se déplacer dans la salle, et il se sentait bloqué. Se saisissant d'un bloc-notes noirci, il commença :

— Vous êtes la copropriétaire des Écuries SC, est-ce exact ?

— Oui, répondit Miss Spangler, une petite femme maigre âgée d'une quarantaine d'années.

— Depuis combien de temps êtes-vous propriétaire des Écuries SC ?

— En quoi est-ce important ? coupa aussitôt le juge. Dites-moi, s'il vous plaît, quel peut être le rapport avec ce que nous faisons ici.

Blaze voulut expliquer :

— Eh bien, Votre Honneur, nous essayons d'établir que...

— Voici comment nous procédons dans ce tribunal, monsieur Blaze : Miss Spangler, veuillez me dire ce qui s'est passé. Oubliez tout ce que vous a dit votre avocat, et dites-moi ce que Pete, ici présent, a fait pour vous énerver.

— Je m'appelle Pete, dit Pete.

— Oui, nous le savons.

— *Yek yek yek.*

— Merci, Pete.

Une longue pause s'ensuivit pour s'assurer que Pete en avait terminé, puis le juge fit signe à Miss Spangler. Elle commença :

— Eh bien, mardi dernier, nous étions au milieu d'une reprise. J'étais à pied dans la carrière, et quatre de mes élèves étaient à cheval. Soudain, cet oiseau est sorti de nulle part, en criant et en faisant toutes sortes de bruits, à un mètre au-dessus de nos têtes. Les chevaux sont devenus fous et ont foncé vers l'écurie. J'ai failli me faire piétiner. Betty Slocum est tombée et s'est blessée au bras.

Betty Slocum se leva aussitôt, pour que tout le monde voie le gros plâtre blanc sur son bras gauche.

— Il est revenu en piqué, comme un kamikaze, et il a poursuivi les chevaux...

— Kamikaze, kamikaze, kamikaze, lâcha Pete.

— Tu vas te taire ! lui lança Miss Spangler.

— Je vous en prie, ce n'est qu'un oiseau, intervint le juge.

Pete commença à tenir des propos incompréhensibles. Anton chuchota à Theo :

— Il parle créole.

— Qu'est-ce qu'il y a ? demanda le juge.

— Il parle le français créole, Votre Honneur, expliqua Theo. C'est en quelque sorte sa langue maternelle.

— Qu'est-ce qu'il dit ?

Theo se pencha vers Anton, qui lui murmura quelques mots à l'oreille.

— Il vaut mieux ne pas savoir, Votre Honneur, dit Theo.

Pete se tut, et tout le monde patienta. Le juge regarda Anton et demanda calmement :

— Est-ce qu'il s'arrêtera de parler si on le lui demande ?

— Non, monsieur, dit Anton.

Nouveau silence.

— Veuillez continuer, reprit le juge.

Judy Cross prit la parole :

— Le lendemain, vers la même heure, je donnais un cours. J'avais cinq cavaliers. Pendant la leçon, je crie mes instructions à mes élèves, comme « Continue à marcher », « Halte » ou « Au galop ». Je n'avais aucune idée qu'il nous observait, mais c'était bien le cas. Il se cachait dans un chêne près de la carrière, et il s'est mis à crier : « Halte ! Halte ! »

Pete répéta aussitôt :

— Halte ! Halte !

— Vous voyez ce que je veux dire ? Les chevaux se sont arrêtés aussitôt. J'ai essayé de faire semblant de rien. J'ai dit à mes élèves de rester calmes et de l'ignorer. Je leur ai dit « Marchez » et les chevaux sont repartis. Là-dessus, il s'est mis à crier : « Halte ! Halte ! »

Le juge leva les mains pour réclamer le silence. Plusieurs secondes s'écoulèrent. Il dit enfin :

— Veuillez continuer.

— Il est resté tranquille quelques minutes, poursuivit Judy Cross. Nous l'avons ignoré. Les élèves se concentraient, les chevaux étaient calmes. Ils marchaient lentement, quand tout à coup il s'est mis à crier « Au galop ! Au galop ! » Les chevaux ont redémarré comme des flèches, partout dans la carrière. C'était le chaos. J'ai failli me faire piétiner.

— Au galop ! Au galop ! cria Pete.

— Vous voyez ce que je veux dire ! lança Judy Cross. Ça fait plus d'une semaine qu'il nous harcèle. Un jour, il tombe du ciel comme un chasseur en piqué et il fait peur aux chevaux. Le lendemain, il nous guette derrière un arbre et il attend que ce soit calme pour crier des ordres. Il est diabolique. Nos chevaux ont peur de sortir de l'écurie. Nos élèves veulent qu'on les rembourse. Il va nous ruiner.

Pete lâcha, pile au bon moment :

— T'es grosse.

Il attendit cinq secondes, puis répéta :

— T'es grosse.

Ses mots retentirent dans la pièce. Tout le monde resta stupéfait. Les gens regardaient leurs chaussures.

Judy Cross avala péniblement sa salive, étrécit les yeux, serra les poings et fit une grimace de douleur. C'était en effet une femme imposante et fortement charpentée, qui avait toujours supporté – et mal porté – un poids excessif. À en juger par sa réaction, son poids représentait un problème compliqué pour elle. Elle s'était battue pour le résoudre, et avait subi une lourde défaite. Être grosse était un sujet extrêmement sensible pour

Judy Cross, une difficulté qu'elle affrontait tous les jours.

— T'es grosse, lui rappela encore Pete.

Le juge, qui luttait désespérément contre l'envie naturelle d'éclater de rire, intervint aussitôt :

— Bon. Puis-je supposer que tous vos autres témoins sont prêts à déclarer à peu près la même chose ?

Les deux femmes acquiescèrent. Certaines semblaient hésiter, presque se cacher, comme si elles avaient perdu de leur enthousiasme. À cet instant, il leur aurait fallu un courage gigantesque pour dire du mal de Pete : qu'est-ce qu'il allait raconter sur elles, ou sur leur apparence ?

— Autre chose ? demanda Yeck.

— Monsieur le juge, ajouta Kate Spangler, vous devez faire quelque chose. Cet oiseau va nous coûter notre entreprise. Nous perdons déjà de l'argent. Ce n'est pas juste, c'est tout.

— Que voulez-vous que je fasse ?

— Ça m'est égal. Vous ne pouvez pas l'endormir ?

— Vous voulez que je le tue ?

— Halte ! Halte ! piailla Pete.

— Vous pourriez lui rogner les ailes, intervint Judy Cross.

— Halte ! Halte ! continua Pete, avant de passer au créole.

Il lança un chapelet d'épithètes courroucées aux deux femmes. Quand il eut fini, le juge se tourna vers Anton :

— Qu'est-ce qu'il a dit ?

Les grands-parents d'Anton pouffaient derrière leurs mains.

— Des choses très vilaines, répondit Anton. Il n'aime pas ces deux femmes.

— J'avais compris.

Le juge leva de nouveau les mains pour demander le calme. Pete comprit le message.

— Monsieur Boone ?

— Eh bien, monsieur le juge, dit Theo, je pense que cela pourrait nous aider si mon ami Anton vous parlait du passé de Pete.

— Je vous en prie.

— Oui, monsieur, commença Anton, nerveux. Pete a cinquante ans. Il a été donné à mon père quand il était petit garçon à Haïti ; c'était un cadeau de son père. Pete est dans la famille depuis longtemps. Quand mes grands-parents sont arrivés dans ce pays, il y a quelques années, Pete est venu avec eux. Les perroquets gris d'Afrique sont parmi les animaux les plus intelligents du monde. Comme vous le voyez, il connaît beaucoup de mots. Il comprend ce qu'on dit. Il peut même imiter les voix des humains.

Pete écoutait Anton parler, de sa voix si familière. Il commença à dire :

— Andy, Andy, Andy...

— Je suis là, Pete, répondit Anton.

— Andy, Andy...

Anton reprit :

— Les perroquets aiment bien suivre une routine, et il leur faut au moins une heure par jour en dehors de leur cage. Pete sort à quatre heures, et nous pensions qu'il restait dans la cour. Visiblement non. Les écuries sont à un bon kilomètre, mais il a dû les trouver. Nous sommes vraiment désolés pour ça, mais, s'il vous plaît, ne faites pas de mal à Pete.

— Merci, dit le juge. Alors, monsieur Blaze, qu'est-ce que je suis censé faire ?

— Votre Honneur, il est évident que les propriétaires de l'oiseau ne peuvent pas le contrôler, comme c'est leur devoir. Un bon compromis serait d'ordonner que les propriétaires lui fassent rogner les ailes. J'ai vérifié auprès de deux vétérinaires et d'un spécialiste de la faune, ils m'ont dit que cette procédure n'est ni inhabituelle, ni douloureuse, ni onéreuse.

Pete hurla :

— T'es idiot !

Il y eut des rires. Blaze devint écarlate. Le juge intervint :

— C'est bon, ça suffit. Sortez-le d'ici. Pete, désolé mon gars, mais tu dois quitter la pièce.

L'huissier prit la cage. La porte se referma sur le perroquet, qui jurait abondamment en créole.

Une fois le calme revenu, le juge demanda :

— Monsieur Boone, quelle est votre suggestion ?

Sans hésiter, Theo répondit :

— La probation, Votre Honneur. Donnez-nous une chance. Mes amis trouveront un moyen de contrôler Pete et de l'éloigner des écuries. À mon avis, ils n'ont pas compris ce qu'il avait fait, ni les problèmes que Pete a créés. Ils sont vraiment désolés de tout cela.

— Et s'il récidive ?

— Alors, il faudra une sanction plus sévère.

Theo savait deux choses que Kevin Blaze ignorait. D'abord, Sergio Yeck croyait aux secondes chances et ordonnait rarement que l'on s'en prenne aux animaux, sauf s'il n'avait pas d'autre choix. Ensuite, il avait été viré du cabinet Macklin cinq ans plus tôt ; il devait donc conserver une certaine rancœur.

Le juge prit l'une de ses décisions typiques :

— Voilà ce qu'on va faire. Miss Spangler et Miss Cross, je compatis grandement. Si Pete revient, filmez-le. Gardez un téléphone ou une caméra à portée de main, et filmez-le. Ensuite, apportez-moi cette vidéo. Dans ce cas, monsieur Boone, nous placerons Pete en détention et lui ferons rogner les ailes – aux frais des propriétaires. Il n'y aura pas d'audience : ce sera automatique. Est-ce bien clair, monsieur Boone ?

— Juste une seconde, Votre Honneur.

Theo consulta les trois Régnier un instant, et ils acquiescèrent rapidement.

— Ils comprennent, Votre Honneur, annonça Theo.

— Bien. Je les considère comme responsables. Je veux que Pete reste chez lui. Point à la ligne.

— Ils peuvent le ramener chez eux, maintenant ? demanda Theo.

— Oui. Je suis sûr que nos amis de la fourrière sont prêts à lui dire au revoir. L'affaire est jugée. L'audience est levée.

Kevin Blaze, ses clientes et les autres femmes en bottes noires sortirent vivement du tribunal. Ensuite, l'huissier ramena Pete et le tendit à Anton, qui ouvrit aussitôt la cage et prit l'oiseau. Ses grands-parents lui caressèrent le dos et la queue, les larmes aux yeux.

Theo s'éloigna et se dirigea vers le bureau du juge, qui prenait des notes sur son registre.

— Merci, monsieur le juge, souffla Theo.

— Quel vilain oiseau ! gloussa Yeck. Dommage qu'on n'ait pas de vidéo de Pete fonçant en piqué sur ces dames à cheval.

Ils rirent tous deux en silence.

— Bien joué, Theo.

— Merci.

— Des nouvelles de la petite Finnemore ?

— Non.

— Je suis vraiment désolé, Theo. Quelqu'un m'a dit que vous étiez proches.

— Oui, vraiment proches.

— Je croise les doigts.

— *Yek yek yek,* piailla Pete en sortant du tribunal.

14.

Jack Leeper voulait parler. Il fit passer un mot au gardien, qui le transmit à l'inspecteur Slater. Le vendredi en fin d'après-midi, ils le transférèrent de sa cellule au poste de police voisin, en passant par un vieux tunnel. Slater et son fidèle adjoint Capshaw l'attendaient, dans la même salle d'interrogatoire sombre et étouffante. Apparemment, Leeper ne s'était ni rasé ni lavé depuis qu'ils avaient discuté avec lui, la veille.

— T'as une idée derrière la tête, Leeper, commença brusquement Slater.

Comme toujours, Capshaw prenait des notes.

— J'ai parlé à mon avocat aujourd'hui, dit Leeper.

On aurait dit qu'il était devenu plus important depuis qu'il en avait un.

— Lequel ?

— Ozgoode. Kip Ozgoode.

Tels deux acteurs, les policiers ricanèrent avec mépris au même moment.

— Si t'as Ozgoode, t'es mort, Leeper, dit Slater.

— C'est le pire, ajouta Capshaw.

— Je l'aime bien, riposta Leeper. Il m'a l'air largement plus malin que vous, les gars.

— Tu veux parler, ou échanger des insultes ?

— Je peux faire les deux.

— Ton avocat sait que tu nous parles ? demanda Slater.

— Ouais.

— Alors, de quoi tu veux parler ?

— Je suis inquiet pour la fille, commença Leeper. Visiblement, vous n'arrivez pas à la retrouver, bande de guignols. Je sais où elle est, et sa situation empire à chaque seconde. Il faut la sauver.

— Comme t'es mignon, Leeper, dit Slater. Tu embarques la fille, tu la mets au frais quelque part, et maintenant tu veux l'aider.

— Je suis sûr que tu as un marché à nous proposer, ajouta Capshaw.

— Eh oui ! Voilà ce que je vais faire, et vous avez intérêt à agir vite, parce qu'elle a peur, la petite. Je vais plaider coupable d'effraction, je prendrai deux ans, en plus de ces histoires en Californie. Et je resterai ici pour tirer ma peine. Mon avocat dit qu'on peut faire les papiers en quelques heures. On signe le marché, le procureur et le juge disent d'accord, et vous avez la fille. Ne perdez pas de temps, les gars, il faut absolument agir vite.

Slater et Capshaw échangèrent un regard anxieux. Leeper les tenait. Ils le soupçonnaient de mentir, parce qu'ils n'attendaient rien d'autre de lui. Mais s'il disait la vérité ? S'ils acceptaient son marché et qu'il les menait à April ?

— On est vendredi et il est presque six heures, Leeper. Tous les juges et les procureurs sont rentrés chez eux, dit Slater.

— Oh ! je parie que vous pouvez les trouver. S'il y a une chance de sauver la fille, ils rappliqueront en vitesse.

Il y eut un nouveau silence. Les policiers scrutaient le visage barbu de Leeper. Pourquoi leur proposerait-il ce marché s'il ignorait où était April ? S'il mentait, l'accord serait jeté à la poubelle. De plus, ils n'avaient aucune autre piste, aucun autre suspect. Depuis le début, Leeper était leur homme. Slater céda enfin :

— Je veux bien en toucher un mot au procureur.

— Si tu mens, Leeper, on te renverra en Californie dès lundi, ajouta Capshaw.

— Elle est encore en ville ? demanda Slater.

— Je ne dirai pas un mot de plus tant qu'on n'aura pas signé l'accord, répondit Leeper.

En quittant le tribunal après avoir sauvé Pete le perroquet, Theo vit qu'il avait reçu un SMS d'Ike. Son oncle lui demandait de venir tout de suite à son bureau.

Comme Ike ne commençait pas très tôt le matin, il travaillait souvent tard, même le vendredi. Theo le trouva à sa table, des piles de papiers partout, une bière déjà ouverte, avec Bob Dylan en fond sonore.

— Comment va mon neveu préféré ? demanda Ike.

— Je suis ton seul neveu, répliqua Theo en enlevant son imperméable et en s'asseyant sur l'unique chaise qui ne soit pas couverte de dossiers et de classeurs.

— Oui, mais même si j'en avais vingt, tu serais mon préféré, Theo.

— Si tu le dis.

— Comment ça s'est passé, aujourd'hui ?

Theo avait déjà appris que, pour être avocat, il fallait apprécier ses victoires, en particulier lors des duels au tribunal. Les avocats adorent raconter des histoires sur leurs clients et leurs affaires bizarres, mais ce sont leurs triomphes à la cour qui les font vibrer. Theo se lança donc dans la saga de Pete. Ike se mit à rugir de rire. Yeck, ce qui n'était guère étonnant, ne fréquentait pas les juristes les plus respectés de la ville, et il avait certainement croisé Ike dans un bar où certains marginaux aimaient boire. Ike trouvait hilarant que Yeck ait permis à Theo de traiter des affaires comme un professionnel du barreau.

Une fois l'histoire terminée, Ike aborda le sujet qui le préoccupait :

— Moi, je persiste à penser que les policiers devraient s'occuper du père d'April. D'après ce que j'entends, ils se concentrent toujours sur Jack Leeper, et je crois que c'est une erreur. Pas toi ?

— Je ne sais pas, Ike. Je ne sais pas quoi penser.

Ike prit un papier :

— Son nom est Thomas Finnemore. Il se fait appeler Tom. Son groupe s'appelle Plunder[1], et ils sont sur la route depuis quelques semaines. Il y a Finnemore et quatre autres guignols, la plupart sont du coin. Ils n'ont pas de site Web. Le chanteur est un ancien dealer que j'ai rencontré il y a quelques années. J'ai réussi à retrouver sa copine actuelle. Elle n'a pas voulu dire grand-chose, mais elle pense qu'ils sont du côté de Raleigh, en Caroline du Nord, à faire des petits concerts dans des bars et pour des associations d'étudiants. Son copain n'avait pas l'air de lui manquer tant que ça. Enfin, voilà, c'est tout ce que j'ai pu apprendre.

— Qu'est-ce que je suis censé faire, alors ?

— Voir si tu peux retrouver le groupe.

Agacé, Theo répondit :

— Écoute, Ike, c'est impossible qu'April soit partie avec son père. J'ai essayé de te le dire. Elle ne lui fait pas confiance, et elle ne l'aime vraiment pas.

— Et elle avait peur, Theo. C'était une petite fille effrayée. Tu ne sais pas ce qu'elle avait dans la tête. Sa mère l'avait abandonnée. Ces gens sont dingues, non ?

— Si.

— Personne n'est entré par effraction, parce que son père avait la clé. Il prend April avec lui et ils partent, nul ne sait pour combien de temps.

1. « Pillage » (NdT).

— D'accord, mais si elle est avec son père, elle est en sécurité, non ?

— À toi de me le dire. Tu penses qu'elle est en sécurité avec les Plunder ? C'est pas le meilleur environnement pour une fille de treize ans.

— Donc, pour trouver Plunder, je n'ai qu'à sauter sur mon vélo et filer à Raleigh, en Caroline du Nord.

— On s'en préoccupera plus tard. Tu es un génie de l'informatique. Commence à chercher, et vois ce que tu trouves.

Quelle perte de temps ! pensa Theo. Il se sentit soudain fatigué. La semaine avait été tendue et il avait peu dormi. Le stress du tribunal pour animaux lui avait pris l'énergie qui lui restait. Il ne voulait qu'une chose : rentrer chez lui et se mettre au lit.

— Merci, Ike, dit Theo en reprenant son imperméable.

— Je t'en prie.

Le vendredi soir, Jack Leeper fut de nouveau menotté et sorti de sa cellule. La réunion eut lieu dans une salle de la prison où les avocats rencontraient leurs clients. Kip Ozgoode, l'avocat de Leeper, se trouvait là, avec les inspecteurs Slater et Capshaw, ainsi que Teresa Knox, une jeune dame du bureau du procureur. Miss Knox prit immédiatement les choses en main. Elle n'appréciait pas d'avoir été appelée chez elle un vendredi soir et alla droit au but.

— Nous ne passerons aucun marché, monsieur Leeper, commença-t-elle. Vous n'êtes pas en position de négocier. Vous risquez une condamnation pour enlèvement, jusqu'à quarante ans de prison. Si la fille a été blessée, il y aura d'autres inculpations. Et si elle est morte, votre vie est vraiment finie. Le mieux pour vous, c'est de nous dire où elle est, afin que son épreuve se termine, et que vous ne risquiez pas de sanctions supplémentaires.

Leeper sourit à Miss Knox, mais ne dit rien.

Elle reprit :

— En supposant, bien sûr, que vous ne jouiez pas avec nous. Je soupçonne que c'est le cas. Le juge aussi. La police aussi.

— Alors, vous le regretterez tous, dit Leeper. Je vous offre une chance de lui sauver la vie. En ce qui me concerne, je suis sûr de mourir en prison.

— Pas nécessairement, riposta Miss Knox. Vous nous donnez la fille, saine et sauve, et nous recommanderons une peine de vingt-cinq ans pour l'enlèvement. Vous pourrez la purger ici.

— Et la Californie ?

— Nous n'avons aucune influence sur ce qui se passera en Californie.

Leeper continua de sourire, comme s'il savourait cet instant. Enfin, il répondit :

— Comme vous dites : marché non conclu.

15.

Ce samedi matin là, le petit déjeuner de la famille Boone se déroula dans une atmosphère tendue. Comme d'habitude, Theo et Juge mangeaient des céréales – avec du jus d'orange pour Theo mais pas pour Juge – tandis que Woods Boone prenait un bagel en lisant la rubrique sportive. Marcella Boone sirotait son café en regardant les nouvelles du monde sur son ordinateur portable. On ne se parla guère, du moins pendant les vingt premières minutes. Certaines conversations planaient encore dans l'air, et le conflit pouvait éclater à tout moment.

Cette tension avait plusieurs causes. La première, la plus évidente, était la morosité qui pesait sur la famille depuis le mercredi matin, quand la police avait réveillé les Boone pour leur demander de venir en vitesse chez les Finnemore. À mesure que les jours passaient sans April, leur humeur n'avait fait que s'assombrir. Il y avait eu des efforts, en particulier de la part de Mr et Mrs Boone, pour sourire et montrer de l'enthousiasme, mais tous trois savaient que c'était vain. La deuxième raison, moins importante, était que Theo et son père ne joueraient pas leurs neuf trous hebdomadaires au golf. Ils commençaient leur partie presque tous les samedis matin à 9 heures, et c'était le grand moment de la semaine.

Le golf était annulé à cause de la troisième raison. Mr et Mrs Boone s'absentaient pour vingt-quatre heures, et Theo insistait pour avoir le droit de rester seul. Ils avaient déjà eu ce sujet de dispute, et Theo avait déjà perdu. Il perdait encore. Il avait bien expliqué qu'il savait verrouiller toutes les portes et les fenêtres, allumer le système d'alarme, appeler la police ou les voisins si nécessaire, dormir avec une chaise coincée sous la porte, dormir avec Juge à ses côtés, prêt à l'attaque, et avec un club de golf fer 7 à la main, si nécessaire. Theo était en parfaite sécurité et n'appréciait pas d'être traité comme un gamin. Il refusait d'avoir une baby-sitter quand ses parents sortaient dîner ou allaient au cinéma, et il était furieux qu'ils ne veuillent pas le laisser seul pendant leur petite virée.

Ses parents n'en démordaient pas. Il n'avait que treize ans et était trop jeune pour rester seul. Theo avait déjà commencé à négocier, et même à les harceler, et la porte restait ouverte pour de sérieuses négociations quand il aurait quatorze ans. Mais, dans l'immédiat, il avait besoin d'être surveillé et protégé. Sa mère s'était arrangée pour qu'il passe la nuit chez Chase Whipple, ce qui n'aurait pas posé de problème en temps normal. Cependant, comme Chase l'avait expliqué, ses parents à lui sortaient dîner le samedi soir et laisseraient les deux garçons à la garde de la sœur aînée de Chase, Daphne, une adolescente de seize ans vraiment déplaisante qui restait toujours à la maison parce qu'elle n'avait aucune vie sociale et se sentait donc obligée de draguer Theo. Il avait subi ce genre de soirée moins de trois mois auparavant, quand ses parents étaient partis à Chicago pour un enterrement.

Il avait protesté, râlé, boudé, discuté et boudé encore, mais rien n'avait marché. Il allait passer son samedi soir dans le sous-sol des Whipple, à écouter jacasser la grosse Daphne qui le dévorerait des yeux, tandis qu'il essaierait de regarder la télé ou de jouer à des jeux vidéo avec Chase.

Mr et Mrs Boone avaient pensé annuler leur voyage, à cause de l'enlèvement d'April et du malaise en ville. Ils avaient prévu de se rendre à Briar Springs, un lieu de villégiature connu à trois cents kilomètres de là, et de s'y amuser quelques heures en compagnie d'avocats venus de tout l'État. Il y aurait des séminaires et des discours dans l'après-midi, puis des cocktails et un long dîner agrémenté de nouveaux discours de vieux juges sagaces et d'hommes politiques ennuyeux. Woods et Marcella étaient des membres actifs de l'association du barreau de l'État, et ne rataient jamais une réunion annuelle à Briar Springs. Celle-ci était encore plus importante, car Marcella Boone devait y prononcer un discours sur les tendances récentes du droit du divorce, et Woods devait participer à un séminaire sur la crise des saisies immobilières. Tous deux avaient préparé leurs interventions et attendaient cette occasion avec impatience.

Theo les assura que tout se passerait bien, et que Strattenburg ne souffrirait pas de leur absence de vingt-quatre heures. La veille, au dîner, Mr et Mrs Boone avaient finalement décidé de partir. Donc Theo dormirait chez les Whipple, malgré ses protestations véhémentes. Theo avait perdu la partie. Il l'avait accepté en son for intérieur, mais il se réveilla tout de même de méchante humeur le samedi.

— Désolé pour le golf, Theo, dit Mr Boone sans lever les yeux de la page sportive.

Theo ne répondit rien.

— On se rattrapera samedi prochain en jouant dix-huit trous. Qu'est-ce que t'en dis ?

Theo grogna.

Sa mère referma son ordinateur et se tourna vers lui :

— Theo, mon chéri, nous partons dans une heure. Qu'est-ce que tu as prévu pour cet après-midi ?

Silence. Theo dit enfin :

— Oh, je ne sais pas. Je vais sans doute traîner ici en attendant que des kidnappeurs ou des assassins débarquent. Je serai sans doute mort le temps que vous arriviez à Briar Springs.

— Ne joue pas au malin avec ta mère, dit sèchement Woods Boone, tout en relevant son journal pour cacher un sourire.

— Tu vas bien t'amuser chez les Whipple, dit la mère de Theo.

— J'en trépigne d'impatience.

— Bon, je reviens à ma question. Qu'est-ce que tu as prévu pour cet après-midi ?

— Je sais pas trop. Chase et moi, on pensait aller au match du lycée à deux heures, ou sinon on irait au Paramount pour voir un film. Il y a un match de hockey, aussi.

— Et tu ne partiras pas à la recherche d'April, n'est-ce pas, Theo ? Nous avons déjà eu cette conversation. N'allez pas vous promener à vélo en ville en jouant les détectives, jeunes gens.

Theo acquiesça.

Son père baissa son journal, regarda fixement Theo et demanda :

— Nous avons ta parole, Theo ? Plus de groupes de recherche ?

— Vous avez ma parole.

— Je veux un SMS toutes les deux heures, à partir de onze heures ce matin. Tu m'entends ? reprit sa mère.

— Oui.

— Et souris, Theo. Il faut faire du monde un endroit heureux.

— Je n'ai pas envie de sourire, en ce moment.

— Allons, Teddy, dit Marcella Boone en souriant à son tour.

Se faire appeler « Teddy » ne fit rien pour améliorer l'humeur de Theo, pas plus que ces rappels constants de « sourire pour faire du monde un endroit heureux ». Theo portait un imposant appareil dentaire depuis deux ans, et il en avait marre. Il n'arrivait pas à imaginer comment l'éclair métallique dont il avait la bouche pleine pourrait rendre quiconque heureux.

Ayant prévu d'arriver à 13 h 30 précises, Mr et Mrs Boone partirent à 10 heures pile. L'intervention de Marcella était programmée à 14 h 30, le séminaire de Woods à 15 h 30. Leurs vies d'avocats occupés étaient réglées comme une pendule, et il leur était inconcevable de perdre leur temps.

Theo attendit une demi-heure, puis fit son sac et partit à son bureau. Juge le suivit. Comme prévu, Boone & Boone était désert. Ses parents travaillaient rarement le samedi, et leurs employés jamais. Theo ouvrit la porte d'entrée, coupa l'alarme et alluma les lumières dans la grande bibliothèque, près de l'entrée. Ses hautes fenêtres donnaient sur une petite pelouse bordant le trottoir. La pièce avait l'aspect et l'odeur d'un endroit très important, et Theo y faisait souvent ses devoirs, quand les avocats ou leurs assistants ne s'en servaient pas. Theo donna un bol d'eau à Juge, puis sortit son ordinateur et son téléphone.

La veille au soir, il avait passé deux heures à faire des recherches sur Plunder. Il avait encore du mal à croire qu'April serait partie au milieu de la nuit avec son père, mais la théorie d'Ike était meilleure que tout ce à quoi Theo avait pu penser. D'ailleurs, qu'est-ce qu'il avait d'autre à faire ce week-end ?

Aucun signe de Plunder pour l'instant. Theo avait trouvé des dizaines de music-halls, de clubs, de bars, de lieux de concert, de salles de fêtes privées et même de mariages, dans le secteur Raleigh-Durham-Chapel Hill. La moitié environ possédait un site Web ou un compte Facebook, mais aucun ne mentionnait un groupe du nom de Plunder. Theo avait aussi déniché trois fanzines hebdomadaires qui fournissaient la liste de centaines de lieux de concert potentiels.

Theo les appela directement depuis la ligne du bureau, par ordre alphabétique. Le premier était une boîte de Durham, Abbey's Irish Rose. Une voix éraillée répondit.

Theo demanda, d'un timbre aussi grave que possible :

— Oui... Vous pourriez me dire si le groupe Plunder joue chez vous ce soir ?

— Jamais entendu parler.

— Merci, dit Theo en raccrochant aussitôt.

Au Brady's Barbecue, à Raleigh, une femme répondit :

— On n'a pas de groupe ce soir.

Theo, qui avait prévu ses questions pour en apprendre autant que possible à chaque fois, demanda :

— Est-ce que Plunder a déjà joué chez vous ?

— Jamais entendu parler.

— Merci.

Theo continua ainsi laborieusement dans l'ordre alphabétique, sans aboutir à quoi que ce soit. Il y avait de bonnes chances qu'Elsa se pose des questions en ouvrant la facture de téléphone mensuelle, et dans ce cas ce serait Theo le responsable. Il pensa même la prévenir, lui expliquer pourquoi il avait téléphoné, et lui demander de payer la note sans le dire à ses parents. Il s'en occuperait plus tard. Il n'avait pas d'autre choix que d'utiliser la ligne du bureau, parce que sa mère le fliquait totalement sur son forfait de portable. Si elle voyait une série d'appels vers des bars de Raleigh et Durham, Theo aurait des comptes à rendre.

Le premier signe positif vint d'un endroit appelé Traction, à Chapel Hill. Un jeune homme serviable, qui n'avait pas l'air plus âgé que Theo, pensait que Plunder avait joué chez eux quelques mois auparavant. Il fit patienter Theo et alla vérifier auprès d'un dénommé Eddie. Une fois le passage de Plunder confirmé, le jeune homme demanda :

— Vous n'avez pas l'intention de les faire venir, non ?

— Peut-être, répondit Theo.

— Évitez. Ils attireraient même pas les mouches.

— Merci.

— C'est vraiment un groupe de fraternités.

Les fraternités et les sororités étaient des associations d'étudiants ou d'étudiantes, qui disposaient souvent de maisons sur le campus des universités.

À 11 heures précises, Theo envoya un texto à sa mère : *Seul à la maison. Tueur en série à la cave.*

Elle répondit : *Pas drôle. Je t'aime.*

Moi aussi.

Theo continua ainsi, un appel après l'autre, sans guère en apprendre davantage.

Chase arriva vers midi et sortit son ordinateur. Theo avait discuté avec plus de soixante gérants, barmen, serveuses, videurs et même un plongeur qui parlait très peu anglais. Ses brèves conversations l'avaient convaincu que Plunder était un mauvais groupe quasiment inconnu. Un barman de Raleigh, qui prétendait « connaître tous les groupes qui passaient en ville », reconnut qu'il n'avait jamais entendu parler de Plunder. À trois reprises, la formation fut qualifiée de « groupe à étudiants ».

— Il faut vérifier avec les fraternités, dit Chase. Et les sororités, aussi.

Ils comprirent rapidement que l'agglomération de Raleigh-Durham comptait beaucoup d'universités, dont les plus célèbres étaient Duke, l'Université de Caroline (UC) et la North Carolina (NC) State University. En outre, il y avait une dizaine d'établissements moins importants, dans un rayon de cent kilomètres autour de celles-là. Ils décidèrent de commencer par les plus grands. Les minutes s'écoulaient, tandis qu'ils surfaient sur le Web, faisant la course pour trouver un indice utile.

— Duke n'a pas de maisons de fraternité, dit Chase.

— Du coup, qu'est-ce que cela implique pour les fêtes et les groupes ? demanda Theo.

— Je ne sais pas trop. On reviendra à Duke plus tard. Tu prends la North Carolina, et je prends l'Université de Caroline.

Theo apprit que NC possédait vingt-quatre fraternités et neuf sororités, dont la plupart disposaient d'une maison-quartier général hors du campus. Apparemment, ces associations avaient toutes un site Web, de qualité inégale cependant.

— Combien de fraternités dans la tienne ? demanda Theo.

— Vingt-deux pour les garçons et neuf pour les filles.

— Il va falloir regarder chaque site.

— C'est ce que je suis en train de faire, répondit Chase, les doigts volant sur les touches.

Theo était rapide sur son clavier, mais pas autant que Chase. Ils foncèrent, bien décidés tous les deux à trouver le premier un renseignement utile. Juge, qui préférait toujours dormir sous quelque chose – table, lit ou chaise –, ronflait tranquillement sous la table de réunion.

Les sites Web finirent par tous se mélanger. Ils donnaient des renseignements sur les membres, les anciens élèves, les travaux d'utilité collective, les prix, les calendriers, et surtout les événements organisés. Une liste infinie de photos défila : scènes de fête, sorties de ski, barbecues sur la plage, tournois de Frisbee et cérémonies avec les garçons en smoking et les filles en robe de soirée. Theo se surprit à attendre ses années de fac avec impatience.

Les deux universités avaient un match de football américain le jour même ; le coup d'envoi était à 14 heures. Theo le savait. En fait, Chase et lui avaient parlé de la cote. NC avait deux points d'avance. Cela dit, ce n'était pas ce chiffre qui était intéressant. L'important, c'était que cet événement donnait aux fraternités une nouvelle excuse pour faire la fête. Le match se déroulait à Chapel Hill, et évidemment les étudiants de NC s'étaient amusés et avaient dansé le vendredi soir. Les fraternités et sororités d'UC prévoyaient de faire de même le samedi soir.

Theo quitta un site Web avec un grognement d'exaspération.

— Je compte dix fêtes de fraternités hier soir, mais il n'y a que quatre sites à donner les noms des groupes. Si tu annonçais un concert sur ton site, pourquoi tu ne donnerais pas le nom du groupe ?

— Pareil ici, observa Chase. Ils l'indiquent rarement.

— Combien de fêtes à Chapel Hill ce soir ? demanda Theo.

— Une dizaine, je dirais. Ça a l'air d'être une fameuse soirée...

À 13 heures, ils avaient enfin consulté tous les sites des deux universités susceptibles de les intéresser.

Theo envoya un SMS à sa mère : *Suis avec Chase. Des tueurs avec haches nous pourchassent. Vont nous rattraper. STP occupe-toi de Juge. Bises.*

Quelques minutes plus tard, sa mère répondit : *Très agréable d'avoir des nouvelles. Fais bien attention. Bises. Maman.*

16.

Theo trouva un sachet de bretzels et deux sodas light dans la petite cuisine de Boone & Boone. La nourriture faisait l'objet d'une guerre feutrée au cabinet. Les règles étaient simples : si on apportait quelque chose que l'on ne souhaitait pas partager, on inscrivait ses initiales dessus et on croisait les doigts. Dans le cas contraire, tous les coups étaient permis. La réalité, cependant, était plus complexe. Les « emprunts » dans une réserve personnelle étaient courants, et pas formellement condamnés. Dans ce cas, la politesse exigeait de remplacer ce qu'on avait pris le plus tôt possible, ce qui entraînait toutes sortes de plaisanteries. Mr Boone, qui surnommait la cuisine « le champ de mines », refusait de s'en approcher.

Theo soupçonnait les bretzels et les sodas d'appartenir à Dorothy, une secrétaire qui essayait éternellement de perdre du poids. Il se promit de lui renouveler son stock.

Chase proposa d'aller au lycée à 14 heures pour voir Strattenburg jouer son premier match de basket de la saison. Theo accepta. Il en avait assez d'Internet et considérait ce travail comme inutile. Pourtant, il eut une dernière idée :

— Comme les fêtes étaient à NC hier soir, on pourrait regarder toutes les fraternités qui y sont et jeter un œil à leurs comptes Facebook, pour voir leurs photos.

— Tu as dit qu'il y avait dix fêtes, c'est ça ? demanda Chase en croquant un bretzel.

— Oui, dont quatre avec le nom du groupe. Il en reste donc six avec des groupes inconnus.

— Et qu'est-ce qu'on doit chercher, exactement ?

— Tout ce qui permettrait d'identifier Plunder. Des lumières, une banderole, le nom du groupe sur la grosse caisse, n'importe quoi.

— Et si on découvre que ce groupe a joué dans une fraternité hier soir, qu'est-ce qu'on fait ? Est-ce que ça veut dire qu'ils joueront ce soir au même endroit ?

— Peut-être. Écoute, Chase, on tente le coup, c'est tout, d'accord ? On avance à tâtons.

— Ça, tu peux le dire.

— Tu as une meilleure idée ?

— Pas pour l'instant.

Theo envoya à Chase les liens de trois fraternités, chacune désignée par des lettres grecques, comme c'était l'usage.

— Sigma Nu a quatre-vingts membres, remarqua Chase. Combien…

— On en prend cinq par fraternité, au hasard. Bien sûr, il faudra prendre les comptes Facebook publics et non protégés.

— Je sais, je sais.

Theo se rendit sur la page d'un membre de Khi Psi, un certain Buddy Ziles, étudiant d'Atlanta en deuxième année. Buddy avait des tas d'amis et des centaines de photos, mais aucune d'une fête la veille au soir. Theo continua laborieusement sa recherche, tout comme Chase. Ils travaillaient en silence, vite fatigués des séries interminables d'étudiants en train de poser, de hurler ou de danser, toujours une bière à la main.

Soudain Chase s'anima.

— J'ai des photos d'hier soir. Une fête avec un groupe.

Il parcourut lentement les photos, puis dit enfin :

— Non, rien.

Cent clichés plus tard, Theo s'arrêta tout à coup, cligna des yeux et agrandit une image. Il était sur le profil non protégé d'un membre d'Alpha Nu du nom de Vince Snyder, un étudiant en deuxième année à Washington qui avait posté une dizaine de photos de fête, la veille au soir.

— Viens voir, Chase, dit Theo comme s'il contemplait un fantôme.

Chase se pencha par-dessus son épaule. Theo lui montra l'écran : une soirée typique, avec une foule de jeunes en train de danser.

— Tu vois ça ? demanda-t-il.

— Oui, c'est quoi ?

— C'est une veste des Twins du Minnesota, bleu marine avec des lettres rouge et blanc.

Il y avait une petite piste de danse au centre de l'image, et l'auteur du cliché avait voulu saisir quelques amis qui bougeaient au rythme de la musique. Une fille en particulier arborait une jupe très courte, c'était sans doute la raison de la photo, se dit Theo. Le chanteur se tenait à gauche de la piste, presque au milieu de la foule, guitare à la main, bouche ouverte, yeux fermés, en train de gémir. Et juste derrière lui, se trouvait le point que désignait Theo. Derrière de gros haut-parleurs, une petite silhouette semblait observer la foule. Elle se tenait de côté, et seuls le T et le W du mot Twins étaient visibles au dos de sa veste. Elle avait les cheveux courts, et, malgré les ombres qui cachaient son visage, Theo n'eut aucun doute.

C'était April.

À 23 h 39, quand la photo avait été prise, elle était tout à fait vivante.

— Tu es sûr ? demanda Chase en touchant presque l'écran du nez.

— Je lui ai donné cette veste des Twins l'an dernier, après l'avoir gagnée dans un concours. Elle était trop petite pour moi. J'en ai parlé à la police et ils ont dit qu'ils ne l'avaient jamais trouvée chez elle. Ils supposent qu'elle la portait en partant.

Theo montra de nouveau la silhouette.

— Regarde ces cheveux courts et ce profil, Chase, c'est forcément April. Tu ne penses pas ?

— Peut-être. Je ne sais pas.

— C'est elle, dit Theo.

Il se leva et se mit à faire les cent pas dans la pièce.

— Sa mère s'est absentée de la maison trois nuits de suite. April mourait de peur, donc elle a appelé son père, ou peut-être qu'il l'a appelée, lui. En tout cas, il a conduit une partie de la nuit, il est arrivé chez lui, il a ouvert la porte avec sa clé, il a pris April, et ils sont repartis. Elle est sur la route depuis quatre jours, avec le groupe. C'est tout.

— On ne devrait pas appeler la police ?

Theo réfléchit encore, tournant et retournant l'affaire dans sa tête.

— Non, pas encore. Plus tard, peut-être. Voilà ce qu'on va faire : comme on sait où elle était hier soir, on va essayer de savoir où elle sera ce soir. On va appeler toutes les fraternités et les sororités d'UC, de Duke, de Wake Forest et les autres, jusqu'à ce qu'on trouve où Plunder joue ce soir.

— UC, c'est l'endroit chaud. Il y a au moins une dizaine de fêtes dans les fraternités.

— Donne-moi la liste.

Theo prit le téléphone tandis que Chase notait les réponses. Personne ne décrocha à la première fraternité. La seconde était une sororité Kappa Delta, et la jeune personne qui répondit n'était pas sûre du nom du groupe. Le troisième appel sonna dans le vide. Dans une fraternité Delta, un étudiant donna le nom d'un autre groupe. Et ainsi de suite. Theo était partagé entre la frustration et la joie de savoir qu'April était saine et sauve ; il était décidé à la trouver.

Le huitième appel fut magique. Un étudiant de la fraternité Kappa Thêta répondit qu'il ne savait rien du groupe, qu'il était en retard pour le match de football, mais… « attends une minute ». Il revint en ligne :

— Ouais, c'est un groupe qui s'appelle Plunder.

— À quelle heure est-ce qu'ils commencent à jouer ? demanda Theo.

— J'sais pas trop. Vers neuf heures, en général. Faut que j'y aille, mon pote.

Les bretzels avaient disparu. En vérité, Theo n'avait aucune idée de ce qu'il devait faire. Chase pensait vraiment qu'ils devaient appeler la police, mais Theo n'en était pas si sûr.

Deux choses étaient certaines, du moins pour Theo. D'abord, la fille sur la photo était April. Ensuite, elle était avec le groupe et le groupe jouerait ce soir à la fraternité Kappa Thêta de Chapel Hill, en Caroline du Nord. Au lieu d'appeler la police, Theo composa le numéro de son oncle.

Vingt minutes plus tard, Theo, Chase et Juge montaient quatre à quatre l'escalier d'Ike. Il était en train de déjeuner chez le traiteur grec du rez-de-chaussée quand Theo l'avait appelé. Theo fit les présentations et retrouva la photo d'April sur Internet.

— C'est elle, déclara-t-il.

Ike étudia le cliché avec soin, ses lunettes de presbyte sur le bout du nez.

— Tu en es sûr ?

Theo lui raconta l'histoire de la veste. Il décrivit April, sa taille, sa coiffure, sa couleur de cheveux et son profil.

— C'est elle, conclut-il.

— Si tu le dis.

— Elle est avec son père, c'est bien comme tu le disais, Ike. Jack Leeper n'a rien à voir avec sa disparition. La police s'est trompée de type.

Ike sourit, mais sans aucune condescendance. Il gardait les yeux rivés sur l'écran.

— Chase pense qu'on devrait informer la police, dit Theo.

— Ça c'est sûr, coupa Chase. Je comprends pas pourquoi on le ferait pas.

— Laissez-moi réfléchir, dit Ike en se levant d'un bond.

Il alluma la hi-fi et réfléchit.

— Je n'aime pas l'idée d'informer la police, en tout cas pas tout de suite. Voilà ce qui risquerait de se passer. La police d'ici appellera celle de Chapel Hill, mais nous ne savons pas ce qu'ils vont faire, là-bas. Ils iront probablement à la fête pour essayer de trouver April. Ça pourrait être plus difficile qu'on ne croit. Supposons que ce soit une grosse fête, avec des tas d'étudiants en train de boire, tout ça... Si la police débarque, il peut arriver n'importe quoi. Les flics seront peut-être malins – et peut-être pas. Peut-être qu'ils ne s'intéresseront pas du tout à une fille qui accompagne juste son père qui joue dans un groupe. Peut-être que la fille ne veut pas être sauvée par la police. Il pourrait arriver pas mal de trucs, et la plupart pas terribles. Il n'y a aucun mandat d'arrêt contre son père, puisque la police d'ici ne l'a encore inculpé de rien. Il n'est toujours pas suspect.

Ike fit les cent pas derrière son bureau, les garçons suspendus à ses lèvres.

— Et, sans identification certaine, je ne suis pas sûr que la police d'ici fasse quoi que ce soit, de toute façon.

Ike retomba sur sa chaise et examina la photo. Il se frotta le nez et les favoris.

— Je sais que c'est elle, insista Theo.

— Et si ce n'est pas le cas, Theo ? demanda Ike d'un ton grave. Il y a plus d'une veste des Twins dans le monde. On ne voit pas les yeux de la fille. Tu sais que c'est April, parce que tu as vraiment envie que ce soit elle. Tu veux désespérément que ce soit elle... Mais si jamais tu te trompes ? Mettons qu'on aille à la police tout de suite, qu'ils démarrent au quart de tour et qu'ils appellent leurs copains de Chapel Hill, qui réagissent tout aussi vite et vont à la fête de ce soir, mais *a)* ils ne trouvent pas la fille, ou *b)* ils trouvent la fille mais ce n'est pas April. On aurait l'air bien bêtes, pas vrai ?

Un long et lourd silence plana dans la pièce. Les garçons réfléchissaient à ce que venait de dire Ike. Chase prit enfin la parole :

— Et si on parlait à sa mère ? Elle devrait pouvoir identifier sa fille, et après ce ne serait plus à nous de décider.

— Je ne pense pas, dit Ike. Cette femme est folle, elle peut réagir n'importe comment. Ce n'est pas dans l'intérêt d'April qu'on implique sa mère, à ce stade. D'après ce que je sais, elle rend les flics dingues et ils essaient de l'éviter.

Tous trois contemplèrent longuement le mur.

— Alors, qu'est-ce qu'on fait, Ike ? demanda Theo.

— Le plus malin, ce serait d'aller chercher la fille, de la ramener, et ensuite d'appeler la police. Et il faut que ce soit quelqu'un en qui April a confiance. Quelqu'un comme toi, Theo.

Theo regarda son oncle, bouche bée. Les mots lui manquèrent.

— Ça fait loin, à vélo, dit Chase.

— Parles-en à tes parents, Theo, et demande-leur de t'y emmener. Tu dois voir April, t'assurer qu'elle va bien, et la ramener. Immédiatement. Il n'y a pas de temps à perdre.

— Mes parents ne sont pas là, Ike. Ils sont partis à Briar Springs pour la convention du barreau de l'État, et ils ne rentreront pas avant demain. Je dors chez Chase, ce soir.

Ike se tourna vers Chase :

— Est-ce que tes parents pourraient faire le trajet ?

Chase faisait déjà signe que non.

— Je ne crois pas. Je ne les vois pas se mêlant d'une histoire pareille. D'ailleurs, ils dînent avec des amis ce soir, et c'est toute une affaire.

Theo regarda son oncle et vit dans ses yeux une étincelle caractéristique : celle du gamin prêt à l'aventure.

— On dirait que c'est toi, l'homme de la situation, dit Theo à Ike. Et, comme tu dis, il n'y a pas de temps à perdre.

17.

L'aventure prévue se heurta aussitôt à quelques obstacles importants. Theo pensa à ses parents et se demanda s'il devait les avertir ou non. Ike pensa à sa voiture, sachant qu'elle ne supporterait pas ce trajet. Chase pensa que Theo devait dormir chez lui ce soir et que son absence ne passerait pas inaperçue.

Theo n'avait pas envie de contacter ses parents et de leur demander la permission d'aller à Chapel Hill. Ike trouvait que c'était une bonne idée (Chase était neutre), mais Theo renâclait. S'il les appelait, il gâcherait leur séjour, leurs interventions et leurs séminaires, et d'ailleurs Theo était sûr que ses parents – en particulier sa mère – diraient non. Dans ce cas, il devrait prendre la décision de leur obéir – ou non. Ike disait pouvoir aplanir les choses et convaincre Woods et Marcella que c'était urgent, mais Theo n'en démordit pas. Il était persuadé qu'il fallait être honnête avec ses parents et il ne leur cachait pas grand-chose, mais là, c'était différent.

S'ils ramenaient April, tout le monde, même ses parents, serait tellement ravi que Theo éviterait sans doute les ennuis.

La voiture d'Ike était une Triumph Spitfire, une vieille voiture de sport notoirement peu fiable, avec seulement deux sièges, une capote qui fuyait, des pneus presque lisses et un moteur qui émettait des bruits étranges. Theo l'adorait mais se demandait souvent comment elle arrivait encore à se balader en ville. De plus, il leur fallait quatre sièges : Ike, Theo, Juge et, espérait-il, April. Ses parents étaient partis dans la voiture de sa mère. Celle de son père se trouvait au garage, prête à partir. Ike décida que, vu l'importance de leur mission, il emprunterait le véhicule de son frère.

Le problème le plus grave était celui de Chase. Il devrait dissimuler l'absence de Theo pendant toute la soirée. Ils discutèrent de l'éventualité d'informer les parents de Chase. Ike proposa même de les appeler pour expliquer ce qu'ils allaient faire, mais Theo trouva l'idée peu séduisante. Mrs Whipple était avocate, elle aussi, elle avait toujours beaucoup de choses à dire sur presque tout ; Theo était persuadé qu'elle appellerait immédiatement sa mère et ruinerait leur projet. Il avait une autre raison : Ike n'avait pas bonne réputation chez les avocats. Theo n'imaginait que trop bien Mrs Whipple perdant la tête à l'idée qu'Ike Boone parte en trombe avec son neveu, l'entraînant dans une folle aventure sur la route.

Vers 15 heures, Theo envoya un nouveau SMS à sa mère : *Toujours en vie. Avec Chase. On est là. Biz.*

Il n'attendait pas de réponse, sachant qu'à cet instant sa mère était au milieu de sa présentation.

À 15 h 15, Theo et Chase posèrent leurs vélos dans l'allée des Whipple et entrèrent. Mrs Whipple sortait un plateau de brownies du four. Elle embrassa Theo, lui souhaita la bienvenue, lui dit combien elle était heureuse de l'avoir comme invité, et ainsi de suite. Mrs Whipple aimait les effets théâtraux. Theo posa son sac – un Nike rouge – sur la table, pour qu'elle le remarque bien.

Tandis qu'elle leur servait des brownies et du lait, Chase annonça qu'ils pensaient aller au cinéma, puis peut-être voir le match de volley à Stratten College.

— Du volley-ball ? demanda Mrs Whipple.

— J'adore le volley, répondit Chase. Le match commence à six heures et sera terminé vers huit heures. Pas de problème, maman. C'est juste à Stratten College.

En réalité, ce match était le seul prévu sur le campus ce soir-là. Et c'était du volley-ball féminin, en plus. Ni Chase ni Theo n'en avaient jamais vu, ni pour de vrai ni même à la télé.

— Qu'est-ce qui passe au cinéma ? demanda Mrs Whipple.

— *Harry Potter*, répondit Theo. Si on se dépêche, on ne ratera pas grand-chose.

— Et puis après on ira voir le match, ajouta Chase. C'est d'accord, maman ?

— Oui, j'imagine.

— Et papa et toi, vous sortez toujours pour dîner ?

— Oui, avec les Coley et les Shepherd.

— Quand est-ce que vous rentrerez ? demanda Chase en regardant Theo.

— Oh, je ne sais pas. Vers dix heures, environ. Daphne sera là. Elle veut commander des pizzas. Ça vous ira ?

— Bien sûr, dit Chase.

Avec un peu de chance, Theo et Ike seraient à Chapel Hill à ce moment-là. Le plus délicat, ce serait d'éviter Daphne entre 20 et 22 heures. Chase n'avait pas encore de plan, mais il y travaillait.

Ils remercièrent Mrs Whipple pour le goûter et claironnèrent qu'ils partaient au Paramount, le cinéma vieillot dans la grand-rue de Strattenburg. Après leur départ, Mrs Whipple monta le sac de Theo dans la chambre de Chase et le posa sur le lit jumeau.

À 16 heures, Theo, Ike et Juge quittèrent le domicile des Boone dans la voiture de Woods. Chase regardait le dernier *Harry Potter*, tout seul.

D'après le GPS, il y avait environ sept heures de trajet – en respectant toutes les limitations de vitesse, ce qui était la dernière idée d'Ike. Tout en sortant de la ville à vive allure, Ike demanda à Theo :

— Tu es stressé ?

— Oui.

— Et pourquoi tu es stressé ?

— Je suis stressé parce que j'ai peur de me faire prendre. Si Mrs Whipple découvre la vérité, elle appellera ma mère, et ma mère m'appellera et j'aurai de gros ennuis.

— Pourquoi tu aurais des ennuis, Theo ? Tu essaies d'aider une amie.

— Je ne joue pas franc-jeu, Ike. Je ne joue pas franc-jeu avec les Whipple, et je ne joue pas franc-jeu avec mes parents.

— Prends du recul, Theo. Si tout se passe bien, demain matin nous serons revenus avec April. Tes parents, comme tout le monde en ville, seront ravis de la voir. Étant donné les circonstances, c'est la bonne chose à faire. C'est peut-être un peu sournois, mais il n'y a pas d'autre moyen.

— Tout de même, ça me rend nerveux.

— Theo, je suis ton oncle. Quel mal y a t-il à ce que je parte en balade avec mon neveu préféré ?

— Aucun, je suppose.

— Alors, arrête de t'inquiéter. La seule chose importante, c'est de trouver April, et de la ramener. Pour l'instant, rien d'autre ne compte. Si tout ça dégénère, j'aurai une petite conversation avec tes parents et je prendrai tout sur moi. Détends-toi.

— Merci, Ike.

Ils fonçaient sur la route. Il y avait peu de circulation. Juge dormait déjà à l'arrière. Le téléphone de Theo vibra. C'était un SMS de Chase : *Le film est génial. Et vous, ça va ?*

Oui. C'est bon, répondit Theo.

À 17 heures, il envoya à sa mère : Harry Potter *génial.*

À quoi elle répondit : *Super. Bisous. Maman.*

Ils prirent la voie rapide et Ike mit le régulateur de vitesse sur cent quinze, soit dix kilomètres heure de plus que la limite.

— Explique-moi quelque chose, Ike. L'histoire d'April était dans tous les journaux, pas vrai ?

— Oui.

— Alors, comment ça se fait que ni April, ni son père, ni un des types du groupe n'aient vu les nouvelles et compris ce qui se passait ? Ils doivent forcément savoir que tout le monde la cherche.

— C'est ce qu'on pourrait croire. Malheureusement, beaucoup d'enfants disparaissent. On dirait qu'il y en a un de plus tous les jours. Peut-être qu'on parle beaucoup d'April ici, mais pas forcément là où se trouve son père. Qui sait ce qu'il a raconté à ses copains du groupe ? Ils doivent être au courant que sa famille n'est pas trop stable. Il a pu leur dire que la mère est folle, qu'il a été obligé de sauver sa fille et qu'il veut rester discret encore un moment. Les autres ont peut-être peur de parler. Ces gars ne sont pas trop stables, eux non plus. C'est une bande de quadragénaires qui se la jouent rock stars ; ils vivent la nuit, ils dorment toute la journée, ils se promènent dans leur camionnette de location et ils jouent pour trois fois rien dans des bars et des fraternités. Probable qu'ils fuient tous quelque chose. Je ne sais pas, Theo. Tout ça ne veut rien dire.

— Elle doit être morte de peur, j'imagine.

— Et elle doit se demander ce qu'elle fait là. Un enfant mérite mieux que ça.

— Et si elle ne veut pas quitter son père ? demanda Theo.

— Si nous la trouvons et qu'elle refuse de nous accompagner, alors on sera obligés d'appeler la police à Strattenburg pour leur dire où elle est. C'est aussi simple que ça.

Rien ne semblait simple à Theo.

— Et si son père nous voit et fait des histoires ?

— Détends-toi, Theo. Ça va s'arranger.

Vers 18 h 30, alors que la nuit tombait, Chase envoya un nouveau SMS : *Filles du V-Ball mignonnes. T'es où ?*

Theo répondit : *Quelque part en Virginie. Ike fonce.*

Il faisait nuit maintenant, et sa semaine effrénée rattrapa enfin Theo. Il somnola, avant de sombrer dans un profond sommeil.

18.

Vers la fin du match, Chase comprit que le seul moyen d'éviter Daphne, c'était d'éviter la maison. Il pouvait presque la voir, assise au sous-sol dans le salon, devant la télé sur grand écran, attendant qu'il rentre avec Theo pour commander une pizza géante chez Santo.

Après le match, Chase partit à vélo chez Guff, un glacier de la grand-rue, près de la bibliothèque municipale. Il commanda une boule à la banane, trouva une cabine à côté et appela chez lui. Daphne décrocha aussitôt.

— C'est moi, dit Chase. Bon, écoute, on a un problème. On s'est arrêtés chez Theo pour voir si son chien allait bien, et il est carrément malade. Il a dû manger un truc bizarre. Il vomit et il chie partout, la maison est dans un état...

— Ah, beurk ! lâcha Daphne.

— T'y croirais pas. Il y a de la merde de chien de la cuisine à la chambre. On est en train de nettoyer, mais ça va prendre du temps. Theo a peur que le chien meure, et il essaie de contacter sa mère.

— C'est horrible.

— Ouais. On devra peut-être l'amener aux urgences vétérinaires. Il arrive à peine à bouger, le pauvre.

— Je peux vous aider, Chase ? Je peux prendre la voiture de maman et venir le chercher.

— Peut-être, mais pas tout de suite. Il faut qu'on nettoie ici et qu'on surveille le chien. J'ai peur qu'il nous repeigne la voiture.

— Vous avez mangé ?

— Non, et pour l'instant c'est la dernière chose qui m'intéresse. J'ai presque envie de vomir, moi aussi. Vas-y, commande la pizza. Je passerai tout à l'heure.

Chase raccrocha et sourit à sa glace. Pour l'instant, tout allait bien.

Juge était toujours couché sur la banquette arrière, ronflant doucement au fil des kilomètres. Theo dormait d'un sommeil agité, s'éveillant en sursaut puis gisant comme mort l'instant d'après. Il était conscient quand ils atteignirent l'État de Caroline du Nord, mais endormi lorsqu'ils arrivèrent à Chapel Hill.

Vers 21 heures, il avait envoyé un SMS à sa mère : *Vais au lit. Très fatigué. Biz.*

Il supposait que ses parents seraient au milieu de leur long dîner, sans doute occupés à écouter des discours interminables, et que sa mère n'aurait pas l'occasion de lui répondre. Il ne s'était pas trompé.

— Réveille-toi, Theo, dit Ike. On y est.

Ils n'avaient pas fait une seule pause depuis six heures. L'horloge du tableau de bord indiquait 22 h 05. Le GPS les conduisit droit à Franklin Street, la voie principale longeant le campus. Les trottoirs étaient envahis de fans et d'étudiants bruyants. UC avait remporté le match après les prolongations, et l'ambiance était chaude. Les bars et les boutiques débordaient de monde. Ike prit Columbia Street et ils passèrent devant les grandes maisons des fraternités.

— On aura peut-être du mal à se garer, marmonna Ike. Ça doit être la cour des Fraternités, poursuivit-il en montrant une place où plusieurs maisons entouraient un parking. La maison Kappa Thêta est par là.

Theo baissa la vitre tandis qu'ils roulaient au pas dans la circulation dense. Plusieurs groupes jouaient dans les fraternités, emplissant l'air de leur musique bruyante. Sur les terrasses, les pelouses, les voitures, les gens bavardaient, dansaient et riaient au coude à coude, se déplaçant en bande de maison en maison, s'interpellant. C'était une scène délirante, Theo n'avait jamais rien vu de pareil. De temps en temps, il y avait une bagarre ou un raid antidrogue à Stratten College, mais rien de comparable. C'était excitant au début, puis Theo pensa à April. Elle se trouvait quelque part au milieu de cet énorme carnaval, et ce n'était pas sa place.

Timide et tranquille, elle préférait rester seule avec ses dessins et ses peintures.

Ike prit une autre rue, puis une autre.

— Il va falloir se garer quelque part et continuer à pied.

Des voitures étaient stationnées partout, la plupart sans autorisation. Ils trouvèrent une place dans une ruelle sombre, loin du bruit.

— Reste ici, Juge, ordonna Theo à son chien, qui les regarda partir. C'est quoi, le plan, Ike? demanda-t-il ensuite.

Ils marchaient d'un pas vif sur le trottoir sombre et inégal.

— Attention à la marche, le prévint Ike. On n'a pas de plan. On trouve la maison, on trouve le groupe... et après je trouverai une idée.

Ils suivirent le bruit et entrèrent bientôt dans la cour des Fraternités par l'arrière. Ils se fondirent dans la foule et personne ne parut s'étonner de leur duo un peu étrange – un homme de soixante-deux ans aux longs cheveux gris coiffés en queue-de-cheval, avec des chaussettes rouges, des sandales et un polo à carreaux marron vieux d'au moins trente ans, accompagné d'un garçon de treize ans aux grands yeux émerveillés.

La maison Kappa Thêta était une imposante bâtisse de pierre blanche, avec des colonnes grecques et une vaste terrasse. Ike et Theo se faufilèrent dans la cohue, montèrent les marches et firent le tour du bâtiment. Ike voulait examiner l'endroit, repérer les entrées et les sorties, et savoir où jouait le groupe. La musique était forte, les cris et les rires encore plus. Theo n'avait jamais vu autant de cannettes de bière de sa jeune vie. Des filles dansaient sur la terrasse, sous le regard de leurs copains qui fumaient. Ike s'adressa à l'une d'elles :

— Où est le groupe ?

— Au sous-sol, dit-elle.

Ils revinrent sur le devant de la maison et jetèrent un œil. La porte d'entrée était gardée par un jeune homme en costume qui semblait avoir autorité pour décider qui entrait.

— Allons-y, dit Ike.

Theo le suivit. Ils se dirigèrent vers la porte avec un groupe d'étudiants. Ils l'atteignaient presque lorsque le gardien (ou le videur) saisit Ike par l'avant-bras.

— 'Scuses ! lança-t-il grossièrement. Z'avez un pass ?

Ike se dégagea sèchement et regarda l'autre comme s'il allait le cogner.

— J'ai pas besoin de pass, petit, siffla-t-il. Je suis le manager du groupe. Et lui, c'est mon fils. Ne pose plus la main sur moi.

Les étudiants reculèrent un peu et le bruit parut diminuer un instant.

— Désolé, monsieur, dit le gardien en s'effaçant pour les laisser entrer.

Ike marchait vite, comme s'il connaissait bien les lieux et avait des choses à y faire. Ils traversèrent un vaste foyer, puis une sorte de salon, remplis d'étudiants. Dans une autre pièce ouverte, une bande de jeunes gens hurlaient devant un match de football projeté sur écran géant, deux fûts de bière à proximité. La musique retentissait au sous-sol ; ils trouvèrent un grand escalier qui y descendait. La piste centrale était envahie de danseurs qui s'agitaient et se déhanchaient dans tous les sens ; à gauche, Plunder hurlait et martelait son morceau à plein volume. Ike et Theo se laissèrent happer par la foule et, une fois en bas des marches, Theo eut l'impression que ses oreilles saignaient.

Ils essayèrent de se cacher dans un coin. La pièce était sombre, la masse des corps à peine éclairée par les stroboscopes colorés. Ike cria à l'oreille de son neveu :

— On va faire vite. Je reste ici. Toi, va jeter un œil derrière le groupe. Dépêche-toi.

Theo se baissa et se fraya un chemin entre les corps. Il se fit cogner, pousser, presque marcher dessus, mais il avança sans relâche le long du mur de gauche. Le groupe finit un morceau, tout le monde applaudit et s'arrêta de danser un instant. Theo pressa le pas, toujours voûté, jetant des regards partout. Soudain, le chanteur hurla, puis se mit à mugir. Le batteur attaqua à son tour et le guitariste lança quelques accords assourdissants. Ce nouveau morceau était encore plus fort. Theo passa devant un mur d'amplis, à moins de deux mètres du clavier, et il aperçut April, assise sur une boîte métallique derrière le batteur – le seul endroit sûr de toute la pièce. Theo fit le tour de l'estrade en rampant quasiment et lui toucha le genou sans qu'elle l'ait vu.

April en resta paralysée, puis elle porta les mains à sa bouche : « Theo ! » Il l'entendit à peine.

— Allons-y ! ordonna-t-il.

— Qu'est-ce que tu fais ici ? hurla April.

— Je suis venu te chercher.

À 22 h 30, Chase, caché à côté d'une teinturerie, observait les clients sortir du bistro italien Chez Robilio. Il vit Mr et Mrs Shepherd, puis Mr et Mrs Coley, et enfin ses parents. Il les regarda partir, se demandant quoi faire ensuite. Son téléphone sonnerait d'ici quelques minutes, et sa mère aurait des dizaines de questions à lui poser. Le feuilleton du chien malade approchait de son dénouement.

19.

Theo et April longèrent laborieusement le mur, contournant des danseurs fatigués qui faisaient une pause, puis filèrent dans la pénombre vers une porte donnant sur un escalier. Le père d'April n'avait aucune chance de la voir, perdu qu'il était dans une reprise intense du *Satisfaction* des Rolling Stones.

— Où on va ? cria Theo à April.

— Ça donne dehors !

— Attends ! Faut que j'aille chercher Ike.

— Qui ?

Theo fendit la foule, trouva Ike là où il l'avait laissé, et tous trois sortirent rapidement par l'escalier, débouchant sur un petit patio derrière la maison Kappa Thêta. On entendait encore la musique et les murs semblaient vibrer, mais c'était bien plus calme à l'extérieur.

— Ike, je te présente April, dit Theo. April, voici Ike, mon oncle.

— Enchanté, fit Ike.

April était trop abasourdie pour répondre. Ils étaient seuls dans l'obscurité, à côté d'une table de pique-nique cassée. Quelques meubles d'extérieur gisaient çà et là. Il y avait des vitres brisées à l'arrière de la maison.

— Ike m'a conduit jusqu'ici pour te ramener, expliqua Theo.

— Mais pourquoi ?

— Comment ça, « pourquoi » ? répliqua Theo.

Ike comprit la perplexité d'April. Il lui posa doucement une main sur l'épaule :

— April, chez nous, personne ne sait où tu es. Personne ne sait si tu es morte ou vivante. Tu as disparu il y a quatre jours sans laisser de trace. Personne – y compris ta mère, la police et tes amis – n'a eu de nouvelles de toi.

April hocha la tête, incrédule.

— Je soupçonne ton père de t'avoir menti, reprit Ike. Il t'a probablement dit qu'il avait parlé à ta mère et que tout allait bien à la maison, c'est ça ?

April acquiesça.

— Il ment, April. Ta mère est malade d'inquiétude. Toute la ville te cherche. Il est temps de rentrer, maintenant.

— Mais on rentre dans quelques jours, répondit April.

— C'est ce que dit ton père ? demanda Ike. Il y a de bonnes chances qu'il soit inculpé de ton enlèvement. April, regarde-moi. (Ike lui releva doucement le menton.) Il est temps de rentrer. On monte en voiture et on s'en va. Tout de suite.

La porte s'ouvrit et un homme apparut. Avec ses bottes de motard, ses tatouages et ses cheveux gras, il n'était manifestement pas étudiant.

— Qu'est-ce que tu fais, April ? demanda-t-il.

— Je prends un peu l'air, dit-elle.

L'autre s'approcha :

— C'est qui, ces types ? demanda-t-il.

— Et vous, vous êtes qui ? riposta Ike.

Plunder était au beau milieu d'une chanson : l'individu n'était évidemment pas membre du groupe.

— C'est Zack, expliqua April. Il travaille pour le groupe.

Ike perçut immédiatement le danger et inventa une histoire. Il gratifia Zack d'une vigoureuse poignée de main :

— Moi, c'est Jack Ford, et lui, c'est mon fils Max. Avant, on habitait à Strattenburg, mais maintenant on vit à Chapel Hill. Max et April se sont connus à la maternelle. C'est un sacré groupe que vous avez là.

Zack lui serra la main, trop lent pour tout assimiler. Il fronça les sourcils, comme si réfléchir était douloureux, puis jeta un regard perplexe à Theo et Ike. April lui dit :

— On a presque fini. Il y en a pour une minute.

— Ton père les connaît, ces types ? demanda Zack.

— Oui, bien sûr, dit Ike. Ça fait longtemps qu'on se connaît, Tom et moi. J'aimerais lui parler à la prochaine pause, si vous pouviez lui faire passer le message, Zack.

— Euh… ouais, d'accord, dit Zack, avant de retourner à l'intérieur.

— Il va le dire à ton père ? demanda Ike à April.

— Sans doute.

— Alors, on devrait partir, April.

— Je ne sais pas.

— Viens, April, dit fermement Theo.

— Tu fais confiance à Theo ? demanda Ike.

— Bien sûr.

— Alors tu peux faire confiance à Ike, conclut Theo. On y va.

Theo prit April par la main et ils s'éloignèrent rapidement de la maison Kappa Thêta, des fraternités et de Tom Finnemore.

Assise à l'arrière, April caressait Juge tandis qu'Ike sortait péniblement de Chapel Hill. Au bout de quelques minutes de silence, Theo demanda :

— J'appelle Chase ?

— Oui, dit Ike.

Ils s'arrêtèrent dans une station-service ouverte vingt-quatre heures sur vingt-quatre et se garèrent à l'écart. Theo composa le numéro de Chase et tendit l'appareil à son oncle.

Chase répondit immédiatement :

— Il était temps.

— Chase, c'est Ike. On a April, on est sur le chemin du retour. Où est-ce que tu es ?

— Je me cache dans le jardin. Mes parents sont prêts à me tuer.

— Va les voir et dis-leur la vérité. Je vais les appeler dans dix minutes.

— Merci, Ike.

Ike rendit son téléphone à Theo et lui demanda :

— Lequel de tes parents a le plus de chances de répondre sur son portable à cette heure de la nuit ?

— Ma mère.

— Alors, appelle-la.

Theo obéit puis tendit le téléphone à Ike.

Mrs Boone répondit d'une voix inquiète :

— Ah ! Theo. Qu'est-ce qui se passe ?

Ike annonça calmement :

— Marcella, c'est Ike. Comment ça va ?

— Ike ? Sur le téléphone de Theo ? Pourquoi est-ce que je suis inquiète, tout à coup ?

— C'est une très longue histoire, Marcella, mais il n'est rien arrivé. Tout le monde va bien, et l'histoire s'est bien terminée.

— S'il te plaît, Ike. Qu'est-ce qui se passe ?

— On a April.

— Vous... quoi ?

— On a April, et on rentre à Strattenburg.

— Où es-tu, Ike ?

— À Chapel Hill, en Caroline du Nord.

— Continue.

— Theo l'a retrouvée, et on a fait une petite virée pour aller la chercher. Elle était avec son père pendant tout ce temps, elle traînait avec lui, quoi.

— Theo a trouvé April à Chapel Hill ? répéta lentement Mrs Boone.

— Ouais. Comme je t'ai dit, c'est une longue histoire et on te donnera les détails plus tard. On sera à la maison au petit matin, entre six et sept heures je pense. Enfin, si j'arrive à rester éveillé toute la nuit.

— Sa mère est au courant ?

— Pas encore. Je me disais qu'on devrait l'appeler pour la mettre au courant.

— Oui, Ike, et le plus tôt sera le mieux. Nous allons partir et rentrer à la maison. Nous serons là à votre arrivée.

— Parfait, Marcella. Au fait, je suis sûr qu'on sera morts de faim.

— Compris, Ike.

Ils se repassèrent le téléphone, et Ike parla à Mr Whipple. Il expliqua la situation, l'assura que tout allait bien, chanta les louanges de Chase pour les avoir aidés à trouver April, et s'excusa de cette supercherie et de l'inquiétude qu'il avait provoquée, promettant de passer plus tard.

Ike s'arrêta à la pompe pour faire le plein et partit payer. Theo sortit Juge quelques instants. De retour dans la voiture, Ike demanda à April :

— Tu veux appeler ta mère ?

— Je pense…, dit-elle.

Theo lui tendit son téléphone. Elle essaya chez elle, mais personne ne répondit. Pas plus de succès sur le portable de sa mère.

— Quelle surprise, dit April. Elle n'est pas là.

20.

Ike avala un grand café pour rester éveillé. À quelques kilomètres à peine de la ville, il déclara :

— OK, les jeunes, voilà le marché. Il est minuit. On a une longue route à faire, et je suis déjà fatigué. Parlez-moi. Je veux qu'on bavarde. Si je m'endors au volant, on mourra tous. Compris ? À toi, Theo, tu parles. Ensuite, ce sera à toi, April.

Theo se tourna vers son amie :

— Qui est Jack Leeper ?

April, la tête de Juge sur les genoux, répondit :

— Un lointain cousin. Pourquoi ? Qui vous a parlé de lui ?

— Il est à Strattenburg, en prison. Il s'est évadé de Californie il y a une semaine environ, et il est arrivé en ville à peu près au moment de ta disparition.

— Il y avait sa tête dans tous les journaux, ajouta Ike.

— La police croyait qu'il t'avait enlevée et qu'il avait filé avec toi, dit Theo.

L'oncle et le neveu se relayèrent pour raconter l'histoire de Leeper : sa photo en première page, sa capture spectaculaire par les équipes d'intervention, ses vagues menaces concernant April qu'il aurait cachée, et ainsi de suite. April, déjà dépassée par les événements de la dernière heure, semblait incapable d'assimiler toute cette histoire. Elle répétait à mi-voix :

— Je ne l'ai jamais vu.

— D'après les journaux, tu lui écrivais. Vous correspondiez. C'est vrai ? demanda Ike.

— Oui. On a commencé à s'écrire il y a un an. Ma mère disait qu'on était des cousins éloignés, même si je ne l'ai jamais trouvé sur notre arbre généalogique. Ce n'est pas un arbre normal. En tout cas, ma mère m'a dit qu'il purgeait une longue peine en Californie et qu'il cherchait un correspondant. Je lui ai écrit, il a répondu. C'était plutôt amusant. Il avait l'air très seul.

— Ils ont trouvé tes lettres dans sa cellule, après son évasion, expliqua Ike. Il est arrivé à Strattenburg, et la police a supposé qu'il était venu te chercher.

— Je n'y crois pas. Mon père m'a dit qu'il avait parlé à ma mère, et aux gens de l'école, et que tout le monde était d'accord pour que je parte une ou deux semaines. Pas de problème. J'aurais dû me douter.

— Ton père doit être un sacré bon menteur, commenta Ike.

— C'est un des meilleurs, dit April. Il ne m'a jamais dit la vérité. Je ne sais pas pourquoi je l'ai cru, cette fois-ci.

— Tu avais peur, April, dit Theo.

— Oh, mon Dieu ! s'exclama April. Il est minuit. Le groupe a fini de jouer. Qu'est-ce qu'il fera lorsqu'il comprendra que je suis partie ?

— C'est l'arroseur arrosé, dit Ike.

— On devrait l'appeler ? demanda Theo.

— Il n'a pas de portable, répondit April. Il dit que, sinon, les gens le retrouvent trop facilement. J'aurais dû lui laisser un mot.

Ils y réfléchirent pendant quelques kilomètres. Ike semblait rafraîchi, plus du tout somnolent. La voix d'April était plus assurée, elle se remettait de son choc.

— Et l'autre affreux, Zack ? demanda Theo. On ne pourrait pas l'appeler ?

— Je ne connais pas son numéro.

— C'est quoi, son nom de famille ? intervint Ike.

— Je ne le connais pas non plus, dit April. J'ai essayé de garder mes distances avec lui.

Quelques kilomètres passèrent. Ike but encore du café et déclara :

— Voilà ce qui va se passer. Quand ils vont s'apercevoir que tu es introuvable, Zack va repenser à notre rencontre. Il essaiera de se rappeler nos noms – Jack et Max Ford, les anciens de Strattenburg qui habitent maintenant à Chapel Hill – et, s'il y arrive, ils vont se dépêcher de chercher notre numéro de téléphone. Comme ils ne le trouveront pas, ils se diront qu'April est chez nous. De vieux amis qui échangent des nouvelles, après toutes ces années.

— C'est tiré par les cheveux, dit April.

— C'est le mieux que je puisse faire.

— J'aurais dû laisser un message.

— Tu es vraiment si inquiète que ça pour ton père ? demanda Theo. Regarde ce qu'il a fait. Il t'a enlevée au milieu de la nuit, sans en parler à personne, et la ville entière est malade d'inquiétude depuis quatre jours. Ta pauvre mère en devient dingue. Je n'ai pas beaucoup de compassion pour ton père, April.

— Je ne l'ai jamais vraiment apprécié, mais c'est mon père, dit-elle, j'aurais dû laisser un mot.

— Trop tard, fit Ike.

— On a retrouvé un corps jeudi, et toute la ville a cru que tu étais morte.

— Un corps ? répéta April.

Theo et Ike échangèrent un regard, et ils continuèrent leur récit. Theo commença avec le groupe de recherche qui avait quadrillé Strattenburg, distribuant des affiches, offrant une récompense, fouinant dans les bâtiments vides, évitant les agents – pour finalement regarder la police tirer un corps de la Yancey, depuis l'autre rive. Ike ajouta quelques détails çà et là.

Theo poursuivit :

— On croyait que tu étais morte, April. Que Jack Leeper t'avait laissée là, à flotter dans la rivière. Mrs Gladwell nous a réunis pour nous remonter le moral, mais on pensait que tu étais morte.

— Je suis vraiment désolée.

— Ce n'est pas ta faute, dit Ike. C'est ton père, le responsable.

Theo se tourna vers elle :

— Ça fait vraiment du bien de te revoir, April.

Ike sourit. Il avait fini son café. Ils quittèrent la Caroline du Nord pour entrer en Virginie. Ike s'arrêta pour reprendre un café.

Peu après 2 heures du matin, le portable d'Ike se mit à vibrer. Il le tira de sa poche et décrocha. C'était son frère, Woods Boone, qui appelait pour bavarder. Marcella et lui venaient d'arriver à Strattenburg et il voulait des nouvelles de leur voyage. Les deux jeunes dormaient, comme le chien, et Ike parla à voix basse. Ils roulaient bien : pas de circulation, pas de mauvais temps et, pour l'instant, pas de radar. Les parents de Theo étaient, bien sûr, extrêmement curieux de savoir comment il avait trouvé April. Ike leur raconta comment Theo et Chase Whipple avaient joué les détectives pour retrouver le groupe – et comment il les avait un peu aidés. Ils avaient passé au crible des milliers de photos sur Facebook, et ils avaient eu de la chance. Une fois sûrs que Plunder se trouvait dans la région, ils avaient appelé les fraternités et les sororités, et la chance leur avait encore souri.

Ike les assura qu'April allait bien, et leur parla des mensonges que son père lui avait servis.

Les parents de Theo écoutaient, incrédules, mais aussi amusés. Et ils ne furent pas vraiment étonnés que Theo ait non seulement retrouvé April, mais qu'il soit parti la chercher.

Une fois la conversation terminée, Ike s'agita sur son siège, voulut s'étirer, puis faillit s'endormir d'un coup.

— Ça suffit ! cria-t-il. Réveillez-vous, tous les deux !

Il donna un coup de poing dans l'épaule de Theo, lui ébouriffa les cheveux et lui lança à plein volume :

— J'ai failli sortir de la route. Vous voulez mourir, les jeunes ? Non ! Theo, réveille-toi et parle-moi. April, c'est ton tour. Raconte-nous une histoire.

April se frotta les yeux, essayant de se réveiller et de comprendre pourquoi ce fou leur criait dessus. Même Juge avait l'air étonné.

À cet instant, Ike pila net et s'arrêta sur le bas-côté. Il bondit de la voiture et en fit trois fois le tour au pas de course. Un énorme semi-remorque passa en rugissant et en klaxonnant. Ike remonta, remit sa ceinture d'un geste sec et reprit la route.

— April, lança Ike, parle-moi. Je veux savoir exactement ce qui s'est passé quand tu es partie avec ton père.

— Bien sûr, Ike, répondit-elle, apeurée. J'étais endormie…, commença-t-elle.

— C'était mardi soir ou mercredi matin ? coupa Ike. Quelle heure il était ?

— Je ne sais pas. C'était après minuit, parce que j'étais encore réveillée à cette heure-là. C'est après que je me suis endormie.

— Ta mère n'était pas là ? demanda Theo.

— Non. Je t'ai parlé au téléphone, puis j'ai attendu et attendu qu'elle revienne, puis je me suis endormie. Quelqu'un tambourinait à la porte. Au début j'ai cru que c'était un rêve, encore un cauchemar, et quand j'ai compris que non, c'était encore plus terrifiant. Il y avait quelqu'un dans la maison, un homme, qui frappait à la porte et qui m'appelait. J'avais tellement peur que je n'arrivais ni à penser, ni à voir, ni à bouger. Puis j'ai reconnu mon père. Il était à la maison, pour la première fois depuis une semaine. J'ai ouvert la porte. Il a demandé où était ma mère. J'ai répondu que je ne savais pas. Elle était absente depuis deux ou trois jours. Mon père a commencé à jurer, puis il m'a dit de me changer, qu'on allait partir. Vite. Et c'est comme ça qu'on est partis. Dans la voiture, je me suis dit : il vaut mieux partir que rester. Je préférais être en voiture avec mon père que toute seule dans cette maison.

April s'arrêta un instant. Ike était tout à fait réveillé, comme Theo. Tous deux voulaient se retourner pour voir si elle pleurait, mais ils se retinrent.

— Nous avons roulé un moment, peut-être deux heures. Je pense qu'on devait être près de Washington quand on s'est arrêtés à un motel près de l'autoroute. On y a passé la nuit, dans la même chambre. Quand je me suis réveillée, il était parti. J'ai attendu. Il est revenu avec des sandwichs et du jus d'orange. Pendant qu'on mangeait, il m'a raconté qu'il avait pu contacter ma mère, qu'il avait longuement discuté avec elle et qu'elle était tombée d'accord que ce serait mieux pour moi si je restais avec lui quelques jours, une semaine peut-être, ou peut-être plus. Ma mère avait reconnu, d'après mon père, qu'elle avait des problèmes et qu'elle avait besoin d'aide. Mon père m'a dit qu'il avait parlé avec la principale du collège et qu'elle pensait aussi que ce serait mieux pour moi de ne pas rester à la maison. Le cas échéant, elle me ferait donner des cours de rattrapage à mon retour. J'ai demandé à mon père le nom de la principale et, bien sûr, il ne le connaissait pas. Je me rappelle que j'ai trouvé ça très bizarre, mais, cela dit, ce n'est pas rare que mon père oublie le nom de quelqu'un dix secondes après avoir discuté avec lui.

Theo jeta un regard à April. Elle contemplait la nuit derrière la vitre, bavardant plaisamment, un sourire étrange sur son visage.

— Nous avons quitté ce motel et nous sommes allés à Charlottesville, en Virginie. Le groupe a joué ce soir-là – mercredi, je pense – dans un endroit qui s'appelle Miller's. C'est un vieux bar qui est connu maintenant, parce que c'est là que le Dave Matthews Band a fait ses débuts.

— J'adore ce groupe, dit Theo.

— Ils sont pas mal, commenta Ike, de l'air du vieux sage.

— Mon père pensait que c'était cool de jouer chez Miller.

— Comment tu as pu entrer dans le bar, à treize ans ? demanda Theo.

— Je ne sais pas. J'étais avec le groupe. Ce n'est pas comme si j'allais boire ou fumer. Le lendemain, on est allés dans une autre ville, Roanoke peut-être, où on a joué dans un vieux music-hall vide. Quel jour c'était ?

— Jeudi, dit Ike.

— Ensuite, on est allés à Raleigh.

— Tu étais dans la camionnette du groupe ? demanda Ike.

— Non. Mon père avait sa voiture, et deux autres aussi. On suivait toujours la camionnette. C'était Zack qui la conduisait et qui installait le matériel. Mon père me tenait à l'écart des autres membres du groupe. Ces types se disputent et se chamaillent pire qu'une bande de gosses.

— Et ils se droguent ? demanda Ike.

— Oui, et ils boivent, et il y a des filles. C'est ridicule et un peu triste de voir des types de quarante ans faire les malins devant des étudiantes. Mais pas mon père. C'est celui qui se tenait le mieux, et de loin.

— Sûrement parce que tu étais là, dit Ike.

— J'imagine.

— Et si on faisait un arrêt aux stands, Ike ? demanda Theo en montrant une sortie avec un restoroute un peu plus loin.

— Entendu.

— Où est-ce qu'on ira, quand on sera à Strattenburg ? demanda April.

— Où est-ce que tu veux aller ? répondit Ike.

— Je ne suis pas sûre de vouloir rentrer chez moi, dit April.

— On ira chez Theo, alors. Sa mère essaie de contacter la tienne. Elle y sera, je pense, et elle sera ravie de te voir.

21.

Ike s'arrêta dans l'allée des Boone. Il était 6 h 10, et il y avait d'autres voitures. Sa vieille Spitfire n'avait pas bougé. À côté était garée une berline noire d'aspect très officiel. Et derrière, le véhicule le plus bizarre de la ville : un corbillard jaune vif, autrefois propriété des pompes funèbres et désormais celle de May Finnemore.

— Elle est ici, dit April.

Ni Ike ni Theo ne comprirent si cela lui faisait plaisir ou pas.

Le jour n'était pas encore levé. Juge bondit du véhicule et courut aux buissons de houx près de la terrasse, son endroit préféré pour se soulager. La porte s'ouvrit d'un coup et May Finnemore en jaillit, en pleurs, bras tendus vers sa fille. Elle l'étreignit un long moment dans le jardin, tandis qu'Ike, Theo et Juge se glissaient à l'intérieur. Après avoir embrassé sa mère, Theo salua l'inspecteur Slater, qui avait manifestement été invité. Après les embrassades et les félicitations, Theo demanda à sa mère :

— Où est-ce que tu as trouvé Mrs Finnemore ?

— Chez un voisin, dit Slater. J'étais au courant. Elle avait trop peur pour rester chez elle.

« Et pour y laisser April toute seule ? » faillit lâcher Theo.

— Des nouvelles de Tom Finnemore ? demanda Ike. On est partis en vitesse et on ne lui a pas laissé de message.

— Rien, répondit le policier.

— Pas étonnant.

— Vous devez être épuisés, dit Mrs Boone.

Ike sourit :

— En fait, oui. Et affamés. Theo et moi venons de passer les quatorze dernières heures sur la route, sans manger grand-chose et sans dormir, du moins en ce qui me concerne. Theo et April ont réussi à somnoler un peu. Le chien, lui, a dormi pendant des heures. Qu'est-ce qu'il y a pour le petit déjeuner ?

— Tout, dit Mrs Boone.

— Comment est-ce que tu l'as retrouvée, Theo ? demanda Mr Boone, incapable de cacher sa fierté.

— C'est une longue histoire, papa, et je voudrais me rafraîchir avant.

Theo disparut. La porte d'entrée s'ouvrit. Mrs Finnemore et April entrèrent, toutes deux en larmes et souriantes. Mrs Boone n'y tint plus et étreignit longuement April.

— Nous sommes tellement heureux de te revoir ! dit-elle.

L'inspecteur Slater se présenta à April, qui était épuisée, désorientée et un peu gênée de toute cette attention.

— Ça fait plaisir de te voir, petite, dit Slater.

— Merci, murmura April.

— Bon, on pourra parler plus tard, dit le policier à Mrs Finnemore. Mais je dois discuter cinq minutes avec votre fille, tout de suite.

— Cela ne peut pas attendre ? demanda Mrs Boone en s'approchant d'April.

— Bien sûr que si, Mrs Boone, répondit le policier, sauf une petite affaire que je dois régler sans attendre. Ensuite, je partirai et je vous laisserai tranquilles.

— Personne ne vous demande de partir, monsieur Slater, intervint le père de Theo.

— Je comprends. Donnez-moi cinq minutes, c'est tout.

Theo revint au salon, puis les Boone se dirigèrent vers la cuisine, où l'odeur épaisse des saucisses planait dans l'air. Mrs Finnemore et April s'assirent sur le canapé ; Slater approcha une chaise.

Il commença à voix basse :

— April, nous sommes ravis que tu sois de retour, saine et sauve. Nous étudions la possibilité d'une inculpation pour enlèvement. J'en ai parlé avec ta mère, et j'ai quelques questions à te poser.

— Très bien, dit-elle timidement.

— D'abord, quand tu es partie avec ton père, est-ce que tu étais d'accord ? Est-ce qu'il t'a forcée à partir ?

April eut l'air perplexe. Elle interrogea sa mère du regard, mais celle-ci contemplait ses bottes.

Slater reprit :

— Pour un enlèvement, il faut prouver que la victime a été forcée de partir, contre sa volonté.

April secoua lentement la tête :

— Je n'ai pas été forcée de partir. C'est moi qui voulais. J'étais morte de peur.

Slater inspira longuement et se tourna vers Mrs Finnemore, qui regardait toujours par terre.

— Entendu, dit-il. La deuxième question, c'est : as-tu été retenue contre ta volonté ? Est-ce que tu as voulu partir, à un moment, mais on t'a dit que tu ne pouvais pas ? Dans quelques rares cas, la victime part de son plein gré, sans être contrainte, volontairement en quelque sorte, mais elle finit par changer d'avis et veut rentrer chez elle, et le ravisseur refuse. À ce stade, cela devient un enlèvement. C'est ce qui s'est passé ?

April croisa les bras, serra les dents puis dit enfin :

— Non. Ce n'est pas ce qui s'est passé. Mon père a menti tout le temps. Il m'a persuadée qu'il était en contact avec ma mère, que tout se passait bien à la maison, et qu'on rentrerait chez nous... finalement. Il n'a jamais dit quand, mais juste que ce serait bientôt. Je n'ai jamais pensé à m'enfuir, mais j'aurais certainement pu le faire. Je n'étais ni surveillée ni enfermée.

Le policier, qui voyait l'affaire lui échapper, prit une profonde inspiration :

— Une dernière question, dit-il. Est-ce que tu as subi de mauvais traitements ?

— De la part de mon père ? Non. C'est peut-être un menteur, un naze et un père minable, mais il ne me ferait jamais de mal, et il ne laisserait personne m'en faire. Je ne me suis jamais sentie menacée. Je me suis sentie seule, j'avais peur et j'étais perdue, mais cela m'arrive souvent, même ici, à Strattenburg.

— April..., murmura Mrs Finnemore.

L'inspecteur Slater se leva :

— Il ne s'agit pas d'une affaire pénale. Ce sera aux tribunaux civils de s'en occuper.

Il se rendit à la cuisine, remercia les Boone et prit congé. Après son départ, April et sa mère rejoignirent la famille Boone autour de la table pour prendre un solide petit déjeuner à base de saucisses, de pancakes et d'œufs brouillés. Une fois les assiettes servies et les grâces dites, Ike commença :

— Slater s'est dépêché de filer parce qu'il a trop honte. La police a passé quatre jours à s'amuser avec Leeper, et Theo a résolu l'affaire en deux heures.

— Comment y es-tu arrivé, Theo ? demanda son père. Et je veux des détails.

— Dis-nous tout, ajouta sa mère.

Theo avala quelques œufs et leva la tête. Tout le monde le regardait. Il sourit – un petit rictus d'abord, qui s'épanouit en un large éclair de métal orthondotique, terriblement contagieux. April, qui n'avait déjà plus d'appareil, lui rendit un sourire éclatant.

Incapable d'y résister, Theo éclata de rire.

L'inspecteur Slater alla droit à la prison, où il retrouva l'inspecteur Capshaw. Ils attendirent ensemble dans une petite salle de détention tandis qu'on réveillait Jack Leeper en sursaut, qu'on le menottait et qu'on le traînait quasiment dans le couloir, dans sa tenue et ses sandales de douche orange. Deux agents le firent asseoir sur une chaise métallique, sans lui ôter ses menottes.

Leeper, pas rasé et les yeux encore bouffis de sommeil, regarda les deux policiers et lança :

— Bonjour. Vous êtes rudement matinaux, les gars.

— Où est la fille, Leeper ? gronda Slater.

— Tiens, tiens, vous voilà de retour. Vous êtes prêts à passer un marché, cette fois ?

— Ouais. On a un marché pour toi, Leeper. Un très bon. Mais d'abord, tu dois nous dire si la fille est loin. Donne-nous juste une idée : dix kilomètres ? Cinquante ? Cinq cents ?

Leeper sourit :

— Pas loin de deux cents kilomètres.

Slater et Capshaw se mirent à rire.

— J'ai dit un truc drôle ?

— Quel sale menteur tu fais, Leeper. Même dans ta tombe, tu continueras à mentir.

Capshaw s'avança vers Leeper :

— La fille est chez elle avec sa maman, Leeper. Elle est partie avec son père et elle a passé quelques jours sur la route. Et elle est revenue saine et sauve. Dieu merci, elle ne t'a jamais rencontré.

— Tu veux un marché, Leeper ? ajouta Slater. En voilà un : on laisse tomber tous les chefs d'inculpation pour ici, et on accélère ton retour en Californie. On a parlé aux autorités de là-bas et elles t'ont réservé un endroit spécial, en tant qu'évadé. Sécurité maximale. Tu ne reverras jamais la lumière du jour.

Leeper le regarda, bouche bée. Muet.

— Ramenez-le, dit Slater aux agents.

Là-dessus, il quitta la pièce avec Capshaw.

Le dimanche matin, à 9 heures, la police de Strattenburg diffusa un communiqué de presse, qui disait : « Vers 6 heures ce matin, April Finnemore est revenue à Strattenburg et a retrouvé sa mère. Elle est saine et sauve, son moral est bon et aucun mal ne lui a été fait. Nous continuons à enquêter sur cette affaire et interrogerons son père, Tom Finnemore, dès que possible. »

La nouvelle fut aussitôt diffusée à la télévision et à la radio. Elle se répandit sur Internet. L'annonce fut faite dans des dizaines d'églises, suscitant applaudissements et actions de grâces.

La ville entière poussa un profond soupir, sourit et remercia Dieu de ce miracle.

April rata tout. Elle dormait profondément dans la petite chambre d'amis des Boone. Elle ne voulait pas rentrer chez elle, pas avant quelques heures au moins. Un voisin appela May Finnemore pour lui annoncer que leur maison était assiégée par les journalistes, et qu'elle ferait mieux de rester à l'écart le temps que cette foule disparaisse. Woods Boone proposa qu'elle mette sa voiture ridicule dans leur garage ; autrement, quelqu'un la verrait et saurait exactement où se cachait April.

Theo et Juge firent une longue sieste dans leur chambre.

22.

Le lundi matin, les élèves du collège de Strattenburg s'attendaient à éprouver quelques frissons. Ce n'était pas un lundi comme les autres. Un nuage sombre avait pesé sur l'école depuis la disparition d'April, et voilà qu'il s'était dissipé. Il y avait seulement quelques jours, tout le monde la croyait morte. À présent, elle était revenue, et non seulement on l'avait retrouvée, mais elle avait été sauvée par l'un des leurs. L'audacieuse mission entreprise par Theo à Chapel Hill pour arracher April à son père prenait rapidement des allures de légende.

Les élèves ne furent pas déçus à leur arrivée. Avant l'aube, une demi-douzaine de camionnettes de la télévision s'étaient garées au petit bonheur autour du grand rond-point à l'entrée de l'école. Les journalistes étaient partout, avec des photographes à l'affût du moindre geste. Mrs Gladwell, outrée, appela la police. Il y eut un face-à-face, des mots furent échangés, des menaces d'arrestation proférées. La police finit par écarter la foule, et les caméras s'installèrent de l'autre côté de la rue. Les bus scolaires commencèrent à arriver et les élèves purent voir une partie du conflit.

La cloche sonna à 8 h 15, mais aucun signe de Theo ni d'April. Dans la classe de Mr Mount, Chase Whipple raconta à une classe captivée sa participation à la recherche et au sauvetage. Sur son profil Facebook, Theo avait posté une version abrégée de ce qui s'était passé, en chantant les louanges de son camarade.

À 8 h 30, la principale réunit de nouveau tous les quatrième. Leur humeur contrastait fortement avec celle de la fois précédente. Les élèves plaisantaient joyeusement, impatients de voir April et d'oublier ce qu'ils venaient de vivre. Theo et April se glissèrent par derrière dans l'école, retrouvèrent Mr Mount près de la cafétéria et ils filèrent à l'assemblée, où ils furent congratulés par les professeurs et encerclés par leurs camarades.

April, nerveuse, se sentait visiblement mal à l'aise face à toute cette attention.

Theo, en revanche, buvait du petit-lait.

Plus tard dans la matinée, Marcella Boone se présenta au tribunal des affaires familiales pour demander officiellement à être la tutrice temporaire d'April Finnemore. Toute personne préoccupée de la santé et du bien-être d'un enfant pouvait faire cette demande. L'enfant ou ses parents ne devaient pas nécessairement être informés de cette démarche, mais la désignation d'un tuteur temporaire par le tribunal ne se faisait que pour une bonne raison.

Le juge était un vieil homme massif à l'ample chevelure blanche et bouclée, avec une barbe fournie et de bonnes joues roses qui évoquaient le Père Noël à bien des gens. Il s'appelait Jolly. Malgré son apparence, il était pieux et strict, ce qui n'empêchait pas toute la ville de l'appeler Papa Noël dans son dos.

Il examina la demande de Mrs Boone, puis lui demanda :

— Aucun signe de Tom Finnemore ?

Mrs Boone avait passé l'essentiel de sa carrière au tribunal des affaires familiales, et elle connaissait Papa Noël extrêmement bien. Elle répondit :

— On m'a dit qu'il a appelé sa femme hier soir et qu'ils se sont parlé pour la première fois depuis plusieurs semaines. Il est censé revenir chez lui cet après-midi.

— Faut-il s'attendre à une inculpation pénale ?

— La police considère cette affaire comme relevant du civil, non du pénal.

— Avez-vous une recommandation concernant la personne que je devrais désigner comme tuteur temporaire ?

— Oui.

— Qui ?

— Moi.

— Vous demandez à être désignée tutrice ?

— C'est exact, Votre Honneur. Je connais très bien la situation. Je connais cette enfant, sa mère et, dans une bien moindre mesure, son père. Je suis très préoccupée par ce qui arrivera à April, et je suis prête à lui servir gracieusement de tutrice temporaire.

— C'est un accord satisfaisant pour tout le monde, madame Boone, dit Papa Noël avec l'un de ses rares sourires. Je vous désigne donc comme tutrice. Que prévoyez-vous ?

— J'aimerais obtenir une audience immédiate devant ce tribunal, pour déterminer où April devrait habiter pour les quelques jours qui viennent.

— Accordé, dit le juge. Quand cela ?

— Dès que possible, Votre Honneur. Si Mr Finnemore revient aujourd'hui, je m'assurerai qu'il soit immédiatement informé de cette audience.

— Neuf heures, demain matin ?

— Parfait.

Tom Finnemore arriva chez lui le lundi en fin d'après-midi. La tournée de Plunder était finie, et le groupe aussi. Les membres s'étaient sans cesse querellés pendant ces deux semaines, et n'avaient guère gagné d'argent. De plus, ils avaient l'impression que Tom les avait entraînés dans cet imbroglio familial en enlevant sa fille et en l'amenant avec lui. Mais April n'avait été que l'un de leurs nombreux sujets de dispute. Leur plus grand problème était qu'à présent ils étaient tous d'âge mûr, trop vieux pour jouer dans les fraternités et les bars à bière pour trois fois rien.

En rentrant chez lui, Tom fut accueilli par sa femme, qui lui parla peu, et sa fille, qui lui parla encore moins. Les deux femmes étaient unies dans leur opposition à sa présence, mais Tom était trop fatigué pour se disputer. Il alla au sous-sol et ferma la porte. Une heure plus tard, un agent arriva et lui remit une convocation au tribunal – pour le lendemain, à la première heure.

23.

Après quelques heures de négociations tendues, il fut décidé que Theo pourrait rater l'école le mardi matin pour aller au tribunal. Au début, ses parents avaient dit « pas question », mais Theo n'avait pas cédé. April était son amie. Il en savait beaucoup sur sa famille. Il l'avait bel et bien sauvée, ce qu'il rappela à ses parents plusieurs fois. Elle aurait besoin de son soutien, et ainsi de suite. De guerre lasse, Mr et Mrs Boone finirent par accepter. Mais son père le mit en garde pour ses devoirs, et sa mère le prévint qu'il n'aurait pas le droit d'assister à l'audience. Au tribunal des affaires familiales, les dossiers concernant les enfants étaient toujours traités à huis clos.

Theo pensait connaître un moyen de contourner cette interdiction, et il disposait d'un plan de secours pour le cas où Papa Noël l'éjecterait de la salle d'audience.

L'éjection arriva assez vite.

Au tribunal des affaires familiales, toutes les décisions étaient prises par les juges, soit Papa Noël soit Judy Ping – ou Ping-Pong, comme on l'appelait, là encore dans son dos (au tribunal du comté de Stratten, la plupart des magistrats avaient un voire deux surnoms). Il n'y avait pas de jurés, et très peu de spectateurs. Pour les divorces, les conflits liés à la garde d'enfants, les adoptions et des dizaines d'autres d'affaires, les deux salles utilisées étaient donc bien plus petites que celles où on faisait appel à un jury et où des foules assistaient aux procès. Il n'était pas rare que le tribunal des affaires familiales soit convoqué dans une ambiance tendue.

Et ce mardi matin-là, elle était bien tendue. Theo arriva avec sa mère, qui le laissa s'asseoir à sa table tandis qu'ils attendaient. Mrs Boone parcourait des documents et Theo s'informait de nouvelles importantes sur son ordinateur portable. Les trois Finnemore arrivèrent ensemble. Mr Gooch, membre d'une armée de vieux adjoints du shérif en semi-retraite qui tuaient le temps au tribunal en uniforme d'huissiers, conduisit Tom Finnemore à sa table, sur le côté gauche. May Finnemore prit place à droite. April s'assit avec Mrs Boone au centre, juste en face du bureau du juge.

Theo se dit que c'était un bon signe de voir les Finnemore arriver ensemble. Il découvrit par la suite qu'April était venue à vélo, que sa mère avait pris son corbillard jaune – sans le singe – et que son père était arrivé à pied, pour faire de l'exercice. Ils s'étaient retrouvés à l'entrée du tribunal et étaient arrivés ensemble.

Au tribunal pénal du fond du couloir, le juge Henry Gantry préférait faire une entrée traditionnelle et quelque peu théâtrale, lorsque l'huissier faisait lever tout le monde d'un bond en aboyant « La Cour ! », tandis que le magistrat apparaissait avec sa robe noire flottant derrière lui. Theo aussi préférait cette méthode, ne serait-ce que pour son côté spectaculaire. Theo avait d'excellentes chances de devenir un jour un grand juge, tout comme Henry Gantry, et il avait bien l'intention de respecter cette ouverture d'audience solennelle.

Dans quelle autre fonction peut-on exiger qu'une salle pleine de gens, quels que soient leur âge, leur métier ou leur niveau d'instruction, se lève à votre entrée avec un respect solennel ? Theo n'en voyait que trois : reine d'Angleterre, président des États-Unis, et juge.

Mais Papa Noël ne se souciait guère des formalités. Il entra par une petite porte, suivi par le greffier. Il gravit l'estrade, s'assit dans un fauteuil de cuir fatigué, et jeta un regard dans la salle.

— Bonjour, grommela-t-il.

L'assistance murmura quelques saluts en réponse.

— Tom Finnemore, je suppose ? demanda-t-il en se tournant vers le père d'April.

Mr Finnemore se leva tranquillement et répondit :

— C'est moi.

— Bienvenue à la maison.

— Est-ce que j'ai besoin d'un avocat ?

— Restez assis, monsieur. Non, vous n'avez pas besoin d'un avocat. Peut-être plus tard.

Mr Finnemore s'assit avec un rictus satisfait. Theo le regarda, essayant de se rappeler son visage pendant la soirée déchaînée de la fraternité, le samedi soir précédent. Le père d'April était le batteur du groupe, et son instrument le cachait partiellement. Son visage disait quelque chose à Theo, mais il n'avait pas eu le temps d'observer Plunder de près. Tom Finnemore était un homme d'aspect agréable, voire respectable. Il portait un jean et des bottes de cow-boy, mais aussi une veste de sport bien coupée.

— Et vous êtes May Finnemore ? demanda Papa Noël, en se tournant vers la droite.

— Oui, monsieur.

— Et, madame Boone, vous représentez April, ici présente ?

— Oui, monsieur.

Papa Noël foudroya Theo du regard.

— Et toi, Theo, qu'est-ce que tu fais ici ?

— April m'a demandé de venir.

— Ah, vraiment ? Es-tu témoin ?

— Je pourrais l'être.

Papa Noël réussit à sourire. Ses lunettes de presbyte étaient perchées sur le bout de son nez et, quand il souriait – ce qui n'arrivait pas souvent –, il avait les yeux qui brillaient et il ressemblait bel et bien au Père Noël.

— Tu pourrais aussi être avocat, huissier ou greffier, n'est-ce pas, Theo ?

— J'imagine.

— Tu pourrais aussi être le juge et décider de cette affaire, n'est-ce pas ?

— Probablement.

— Madame Boone, demanda le juge, existe-t-il une raison légitime pour que votre fils assiste à cette audience ?

— Pas vraiment, dit Mrs Boone.

— Theo, va à l'école.

L'huissier s'approcha de Theo et lui fit gentiment signe de sortir. Theo prit son sac et remercia sa mère. Il chuchota à April « On se voit au collège », puis il partit.

Cependant, il n'avait nullement prévu d'aller à l'école. Il posa son sac sur un banc dans le couloir, fila à la cafétéria en sous-sol, acheta un grand soda dans un gobelet en carton, revint en courant, vérifia que personne ne le regardait et laissa tomber le liquide sur le sol de marbre poli. Theo ne s'arrêta pas. Il continua dans le couloir, passa devant les Affaires familiales et arriva dans une petite pièce qui servait de placard à balais, d'entrepôt et de chambre de repos à Speedy Cobb, l'homme d'entretien le plus vieux et le plus lent de l'histoire du comté. Comme prévu, Speedy se reposait, faisant une petite sieste avant d'affronter les rigueurs d'une journée de travail.

— Speedy, j'ai laissé tomber du soda dans le couloir. Il y en a partout ! dit précipitamment Theo.

— Salut, Theo. Qu'est-ce que tu fais ici ?

C'était la même question chaque fois qu'il voyait Theo. Speedy se leva et prit sa serpillière.

— J'étais dans le coin. Je suis vraiment désolé, dit Theo.

Armé d'un seau et de sa serpillière, Speedy finit par sortir dans le couloir. Il contempla la flaque en se frottant le menton, comme si cette opération allait nécessiter des heures d'un travail hautement qualifié. Theo l'observa quelques secondes, puis se retira dans la petite pièce. Le réduit étroit et sale où Speedy faisait la sieste ouvrait sur une pièce un peu plus grande où l'on stockait des réserves. Theo grimpa vivement sur les étagères, chargées de serviettes en papier, de papier-toilette et de liquide désinfectant. Tout en haut se trouvait un espace sombre et étroit, fermé à l'autre bout par une bouche d'aération. À cinq mètres sous la bouche d'aération, se trouvait le bureau de Papa Noël en personne. De cette alcôve secrète, connue de lui seul, Theo ne voyait rien.

Mais il entendait tout.

24.

Papa Noël déclarait :

— L'affaire soumise à ce tribunal est le placement temporaire d'April Finnemore. Pas sa mise sous tutelle, mais son placement. J'ai un rapport préliminaire des services sociaux recommandant qu'April soit confiée à une famille d'accueil en attendant que d'autres problèmes soient résolus. Parmi ces autres problèmes pourraient figurer – j'ai bien dit « pourraient » – une procédure de divorce, une inculpation pénale visant son père, un examen psychiatrique des deux parents, et ainsi de suite. Nous ne pouvons pas anticiper toutes ces batailles juridiques qui les attendent. Ma tâche, aujourd'hui, est de décider où placer April tandis que ses parents essaient de remettre de l'ordre dans leur vie. Le rapport préliminaire conclut qu'April n'est pas en sécurité chez elle. Madame Boone, avez-vous eu le temps de lire ce document ?

— Oui, Votre Honneur.

— Êtes-vous d'accord avec ce qui y est dit ?

— Oui et non, Votre Honneur. Hier soir, April était chez elle, ses deux parents aussi, et elle s'est sentie en sécurité. La nuit précédente, elle était chez elle avec sa mère, et elle se sentait en sécurité. Mais, la semaine dernière, lundi et mardi soirs, elle était seule chez elle et n'avait aucune idée d'où se trouvaient ses parents. Mardi, vers minuit, son père est arrivé, et comme April était terrifiée elle est partie avec lui. À présent, nous connaissons tous la fin de l'histoire. April veut vivre chez elle avec ses parents, mais je ne suis pas sûre que ses parents veuillent vivre chez eux avec elle. Peut-être, Votre Honneur, devrions-nous entendre ses parents.

— Précisément. Monsieur Finnemore, quels sont vos projets dans un avenir proche ? Rester chez vous, ou partir ? Refaire une tournée avec votre groupe de rock, ou abandonner enfin ? Trouver un travail, ou continuer à traîner çà et là ? Demander le divorce, ou aller consulter ? Donnez-nous un indice, monsieur Finnemore. Une idée de ce que nous pouvons attendre de vous.

Tom Finnemore s'affaissa sous ce feu roulant de questions soudain dirigées contre lui. Il resta silencieux un long moment. Tout le monde attendit et attendit encore, et, au moment où il semblait qu'il n'avait rien à répondre, il s'exprima enfin, d'une voix enrouée, presque brisée :

— Je ne sais pas, monsieur le juge. Je ne sais vraiment pas. J'ai emmené April parce qu'elle était morte de peur et qu'on n'avait aucune idée d'où se trouvait May. Après notre départ, j'ai appelé plusieurs fois, je n'ai jamais eu de réponse, et peu à peu j'ai arrêté d'appeler, j'imagine. Je n'aurais jamais cru que la ville entière croirait April enlevée et assassinée. C'était une grosse erreur de ma part. Je suis vraiment désolé.

Il s'essuya les yeux et poursuivit :

— Je crois que les tournées sont terminées. C'est une impasse, quoi. Pour répondre à votre question, monsieur le juge, je prévois d'être à la maison beaucoup plus souvent. J'aimerais passer plus de temps avec April, mais je ne suis pas sûr de vouloir passer du temps avec sa mère.

— Avez-vous discuté d'un divorce avec elle ?

— Monsieur le juge, nous sommes mariés depuis vingt-quatre ans, et nous nous sommes séparés pour la première fois deux mois après notre mariage. Le divorce a toujours été un sujet brûlant.

— Quelle est votre réaction à la conclusion du rapport, selon laquelle April devrait être éloignée de chez vous et placée dans un lieu sûr ?

— Je vous en prie, ne faites pas ça, monsieur. Je resterai à la maison, je vous le promets. Je ne sais pas ce que May va faire, mais je peux promettre au tribunal qu'un de nous deux sera toujours à la maison pour April.

— Tout cela m'a l'air bien, monsieur Finnemore, mais franchement je ne vous accorde pas beaucoup de crédibilité pour l'instant.

— Je sais, monsieur le juge, et je comprends. Mais je vous en prie, ne nous enlevez pas April.

Le père d'April s'essuya encore les yeux et se tut. Papa Noël attendit un moment, puis se tourna de l'autre côté et demanda :

— Et vous, madame ?

May Finnemore, un mouchoir dans chaque main, donnait l'impression d'avoir pleuré pendant des jours. Elle bafouilla un instant avant de se reprendre :

— Ce n'est pas un foyer merveilleux, monsieur le juge. J'imagine que ça, c'est évident. Mais c'est le nôtre, c'est celui d'April. C'est là qu'elle a sa chambre, ses vêtements, ses livres et ses affaires. Peut-être que ses parents ne sont pas toujours là, mais nous allons faire des efforts. Vous ne pouvez pas arracher April de notre maison et l'installer chez des inconnus. Je vous en prie, ne faites pas ça.

— Et quels sont vos projets, madame Finnemore ? Continuer comme ça... ou êtes-vous prête à changer ?

May Finnemore sortit des papiers d'une chemise et les tendit à l'huissier, qui les distribua au juge, à Mr Finnemore et à Mrs Boone.

— C'est une lettre de mon thérapeute. Il explique que je suis suivie par lui, maintenant, et qu'il pense que mon état va s'améliorer.

Tout le monde lut la lettre. Derrière les termes médicaux utilisés, il ressortait que May avait des problèmes émotionnels et que, pour les traiter, elle avait mélangé divers médicaments sous ordonnance, aux noms non précisés. La mère d'April continua :

— Mon thérapeute m'a inscrite en désintoxication, dans un programme ambulatoire. Je suis testée tous les matins à huit heures.

— Quand avez-vous commencé ce programme ? demanda Papa Noël.

— La semaine dernière. Je suis allée voir le thérapeute après la disparition d'April. Je vais déjà mieux, je vous le promets, Votre Honneur.

Papa Noël reposa la lettre et se tourna vers April :

— J'aimerais avoir ton opinion, dit-il avec un sourire bienveillant. Qu'est-ce que tu en penses, April ? Qu'est-ce que tu veux ?

D'une voix bien plus assurée que celle de ses parents, April répondit :

— Eh bien, monsieur le juge, ce que je veux est impossible. Je veux ce que veut chaque enfant : un foyer normal et une famille normale. Mais ce n'est pas ce que j'ai. Ce n'est pas notre style d'être normal, et j'ai appris à vivre avec. Mon frère et ma sœur aussi. Ils sont partis dès que possible, et ils se débrouillent dans la vie. Ils ont survécu et je survivrai aussi, avec un peu d'aide. Je veux un père qui ne parte pas pendant un mois sans dire au revoir ni appeler à la maison. Je veux une mère qui me protège. Je peux supporter plein de trucs dingues, tant que mes parents ne disparaissent pas.

La voix d'April commença à se briser, mais elle termina d'un air décidé :

— Je partirai, moi aussi, dès que je pourrai. D'ici là, tout de même, ne m'abandonnez pas. Je vous en prie.

Elle regarda son père et ne vit que des larmes. Elle regarda sa mère et vit la même chose.

Papa Noël se tourna vers l'avocate et demanda :

— En tant que tutrice d'April, madame Boone, avez-vous des recommandations ?

— J'ai une recommandation, Votre Honneur, et j'ai aussi un plan, dit Marcella Boone.

— Je n'en suis pas étonné. Continuez.

— Je recommande qu'April dorme chez elle à l'avenir. Si l'un ou l'autre de ses parents prévoit de ne pas être à la maison un soir, il devra m'en informer à l'avance, et je le signalerai au tribunal. En outre, je recommande à monsieur et madame Finnemore de voir immédiatement un conseiller conjugal. Je leur suggère le docteur Francine Street, qui est à mon avis la meilleure de la ville. Je me suis permis de prendre rendez-vous pour cinq heures, aujourd'hui. Le docteur Street me tiendra au courant des progrès accomplis. Si l'un ou l'autre des parents ne se présente pas à ces séances, j'en serai immédiatement informée. Je contacterai le nouveau thérapeute de Mrs Finnemore et lui demanderai d'être tenue au courant de ses progrès en désintoxication.

Papa Noël l'écoutait en caressant sa barbe :

— Cela me convient, dit-il. Et vous, monsieur Finnemore ?

— Ça me semble raisonnable, Votre Honneur.

— Et vous, madame Finnemore ?

— Je dirais oui à n'importe quoi, monsieur le juge. Mais, je vous en prie, ne m'enlevez pas April.

— Telle est la décision du tribunal, alors. Autre chose, madame Boone ?

— Oui, Votre Honneur. J'ai pris des dispositions pour qu'April ait un téléphone portable. Si quelque chose arrive, si elle se sent menacée, en danger, ou s'il arrive quoi que ce soit, elle pourra m'appeler immédiatement. Si je ne suis pas disponible, elle pourra contacter mon assistant, ou peut-être quelqu'un du tribunal. Et je suis sûre qu'elle pourra toujours trouver Theo.

Papa Noël réfléchit un instant et sourit :

— Et je suis sûr que Theo pourra toujours la trouver.

Cinq mètres plus haut, dans les sombres boyaux du tribunal du comté de Stratten, Theodore Boone sourit.

L'audience était terminée.

Speedy revint en marmonnant et en traînant les pieds dans son réduit. Il rangea sa serpillière et renversa accidentellement son seau. Theo se retrouva pris au piège. Il lui fallait vraiment sortir du bâtiment pour aller au collège. Il attendit. Les minutes s'écoulèrent, puis il entendit un bruit familier : Speedy ronflait, dormant à poings fermés comme d'habitude. Theo descendit silencieusement les étagères et posa le pied par terre. Allongé sur sa chaise préférée, casquette rabattue sur les yeux, bouche ouverte, Speedy était mort pour le reste du monde. Theo sortit sur la pointe des pieds. Il filait dans le grand couloir et était presque arrivé à l'escalier monumental lorsque quelqu'un l'appela par son nom. C'était le juge Henry Gantry, le magistrat que Theo préférait dans tout le tribunal.

— Theo ! lança-t-il.

Theo s'arrêta et fit demi-tour.

Henry Gantry ne souriait pas. Il ne souriait d'ailleurs pas beaucoup. Il portait un gros dossier, mais pas sa grande robe noire.

— Pourquoi n'es-tu pas à l'école ? demanda-t-il.

Plus d'une fois, Theo avait séché les cours pour assister à un procès, et il s'était fait prendre la main dans le sac au moins à deux reprises, en plein tribunal.

— J'étais à une audience avec ma mère, dit-il, en partie sincère.

Il devait lever les yeux pour parler au juge.

— Est-ce que cela aurait un rapport avec l'affaire April Finnemore ? demanda Henry Gantry.

Strattenburg n'était pas une grande ville et n'avait guère de secrets, en particulier entre avocats, juges et policiers.

— Oui, monsieur.

— J'ai entendu dire que tu avais retrouvé cette fille et que tu l'avais ramenée chez elle, dit le juge en esquissant enfin un sourire.

— Quelque chose comme ça, dit modestement Theo.

— Bien joué, Theo.

— Merci.

— Juste pour que tu le saches, j'ai reprogrammé le procès Duffy pour qu'il s'ouvre dans six semaines.

Je suis sûr que tu voudras des places au premier rang.

Theo en resta bouche bée. Le premier procès pour meurtre de Pete Duffy avait été le plus important de toute l'histoire de Strattenburg et, grâce à Theo, il s'était conclu sur un vice de procédure. Le second promettait d'être encore plus palpitant.

Theo répondit enfin :

— Oui, bien sûr, monsieur le juge.

— Nous en reparlerons plus tard. File au collège.

— Entendu.

Theo descendit l'escalier quatre à quatre, sauta sur son vélo et quitta le tribunal en vitesse. Il avait rendez-vous avec April pour déjeuner. Ils avaient prévu de se retrouver devant la cafétéria du collège à midi et de s'éclipser vers l'ancien gymnase, où personne ne les trouverait. Mrs Boone avait préparé des sandwichs végétariens, les préférés d'April – et les moins préférés de Theo –, avec des biscuits au beurre de cacahuète.

Theo voulait connaître les moindres détails de l'enlèvement.

Et maintenant,
découvrez comment tout a commencé...

avec les deux premiers chapitres
d'*Enfant et justicier*,
le premier volume des aventures
de Theodore Boone.

1.

Theodore Boone, qui était fils unique, prenait son petit déjeuner tout seul. Son père, un avocat très occupé, avait l'habitude de partir chaque jour dès 7 heures et de retrouver des amis, toujours au même snack du centre-ville, pour échanger des nouvelles. La mère de Theo, elle aussi avocate et elle aussi très occupée, essayait de perdre cinq kilos depuis dix ans et s'était persuadée que son petit déjeuner devait se limiter à prendre un café en lisant le journal. Theodore mangeait donc seul dans la cuisine, céréales au lait froid et jus d'orange, un œil sur la pendule. Chez les Boone, il y avait des pendules partout, preuve manifeste qu'ils étaient des gens organisés.

Theodore n'était pas entièrement seul. À côté de lui, son chien mangeait lui aussi. Juge était un bâtard parfait, dont l'âge et le pedigree resteraient à jamais un mystère. Theo l'avait sauvé de la mort *in extremis*, deux ans plus tôt, quand il était passé devant le tribunal des animaux pour la seconde fois – et Juge lui en était toujours reconnaissant. Il aimait les céréales, les mêmes que Theo, avec du lait entier, jamais de lait écrémé, qu'ils mangeaient ensemble en silence, tous les matins.

À 8 heures, Theo rinça les bols dans l'évier, remit le lait et le jus de fruits dans le frigo, alla jusqu'au bureau et embrassa la joue de sa mère.

— Je pars au collège.

— Tu as l'argent pour le déjeuner ?

Elle lui posait cette même question cinq matins par semaine.

— Comme toujours.

— Et tu as fini tes devoirs ?

— Tout est parfait, maman.

— Et je te vois quand ?

— Je passerai après les cours.

À la sortie du collège, Theo s'arrêtait toujours au bureau de sa mère, ce qui n'empêchait pas Mrs Boone de le lui demander tous les jours.

— Fais attention à toi, lui dit-elle, et rappelle-toi de sourire.

Cela faisait plus de deux ans que Theo portait un appareil dentaire dont il voulait désespérément se débarrasser. Et pendant ce temps, sa mère lui rappelait en permanence de sourire pour que le monde soit plus heureux.

— Mais je souris, m'man.

— Je t'aime, Teddy.

— Moi aussi, maman.

Theo garda le sourire bien que sa mère l'ait appelé « Teddy », jeta son sac à dos sur son épaule, gratta la tête de Juge et sortit par la cuisine. Il sauta sur son vélo et fila dans Mallard Lane, une petite rue arborée du plus vieux quartier de la ville. Il salua Mr Nunnery, qui s'installait déjà sur sa terrasse en vue d'une nouvelle et longue journée à regarder passer le peu de circulation du quartier, il frôla Mrs Goodloe sur le trottoir, sans rien lui dire parce qu'elle avait perdu l'ouïe et une bonne partie de sa tête aussi. Il lui sourit, tout de même, mais elle ne lui rendit pas son sourire. Ses dents étaient quelque part chez elle.

En ce début de printemps, l'air était frais et vivifiant. Theo pédalait avec énergie, le vent lui fouettait le visage. L'appel était à 8 h 40 et il avait des questions importantes à régler avant. Il coupa par une rue adjacente, enfila une ruelle, évita quelques voitures et grilla un stop. C'était son territoire, son trajet quotidien. Quatre rues plus loin, les maisons cédaient la place à des boutiques et à des bureaux.

Le tribunal du comté était le plus grand bâtiment du centre-ville de Strattenburg (la poste arrivait en deuxième, suivie de la bibliothèque). Il se dressait majestueusement du côté nord de la grand-rue, à mi-chemin entre un pont sur la rivière et un parc rempli de kiosques, de bassins et de monuments aux morts. Theo adorait ce tribunal, avec son allure imposante, les gens qui allaient et venaient d'un air important, les annonces solennelles et les horaires d'audience épinglés sur les panneaux. Mais surtout, Theo adorait les salles du tribunal. Il y en avait de petites où les affaires plus personnelles étaient traitées sans jurés, et puis il y avait la salle principale au premier étage, où les avocats s'affrontaient tels des gladiateurs, où les juges régnaient en maîtres.

À l'âge de treize ans, Theo n'avait pas encore pris de décision pour son avenir. Un jour, il rêvait d'être un célèbre avocat pénaliste, qui s'occuperait des plus grandes affaires et ne perdrait jamais devant les jurés. Le lendemain, il rêvait d'être un grand juge, célèbre pour sa sagesse et son équité. Son cœur balançait et il changeait d'avis quotidiennement.

La salle des pas perdus était déjà pleine en ce lundi matin, comme si les avocats et leurs clients voulaient prendre de l'avance pour la semaine. Une foule attendait devant l'ascenseur : Theo grimpa les deux étages quatre à quatre, jusqu'à l'aile est où se trouvait le tribunal des affaires familiales. Sa mère, une avocate renommée spécialisée dans les divorces, représentait toujours l'épouse, aussi Theo connaissait-il bien cette partie du bâtiment. Comme les règlements des divorces étaient décidés par les juges, sans jurés, et que la plupart des magistrats préféraient ne pas traiter ces questions délicates en public, les salles d'audience étaient petites. Plusieurs avocats à l'air important s'agglutinaient devant l'entrée ; manifestement, ils n'étaient pas d'accord entre eux. Theo regarda autour de lui, tourna le coin et vit son amie.

Elle était assise sur l'un des vieux bancs de bois, seule, petite, fragile et nerveuse. En le voyant, elle sourit – et se cacha la bouche d'une main. Theo se hâta de la rejoindre, tout près, leurs genoux se touchant. Avec n'importe quelle autre fille, il se serait assis à un mètre de distance, pour éviter tout risque de contact.

Mais April Finnemore n'était pas n'importe quelle fille. Ils avaient été à la maternelle ensemble, à l'école du quartier, et étaient amis d'aussi loin qu'ils s'en souviennent. Ce n'était pas une petite amie, ils étaient trop jeunes pour cela. Theo ne connaissait pas un seul garçon de sa classe qui ait avoué avoir une copine. Tout au contraire. Ils ne voulaient rien avoir à faire avec les filles. Et réciproquement. On avait prévenu Theo qu'il changerait, et vite, mais cela lui paraissait improbable.

April n'était qu'une amie, et une amie dans le besoin, à ce moment-là. Ses parents étaient en train de divorcer, et Theo était extrêmement content que sa mère ne soit pas impliquée dans cette affaire.

Chez les gens qui connaissaient les Finnemore, personne n'était surpris par ce divorce. Le père d'April était un antiquaire excentrique, et le batteur d'un vieux groupe de rock qui jouait encore dans les boîtes et partait en tournée pendant des semaines. Sa mère élevait des chèvres et fabriquait du fromage qu'elle vendait en ville dans un ancien corbillard peint en jaune vif. Un vieux singe-araignée aux favoris gris était assis à la place du mort et mâchouillait les fromages, qui ne s'étaient jamais très bien vendus. Mr Boone avait décrit cette famille comme « non traditionnelle », ce que Theo avait interprété comme « franchement bizarre ». Le père comme la mère avaient été arrêtés pour des histoires de drogue, mais ils n'avaient jamais fait de prison.

— Ça va ? lui demanda Theo.

— Non, répondit-elle. Je déteste être ici.

Elle avait un frère aîné prénommé August et une sœur aînée, March, qui avaient tous deux fui leur famille. August était parti le jour où il avait décroché son diplôme d'études secondaires. March avait quitté la ville et le lycée à seize ans, laissant April seule victime disponible pour ses parents. Theo connaissait cette histoire parce qu'April lui avait tout raconté. Elle avait besoin d'une personne extérieure à qui se confier, et Theo l'écoutait.

— Je ne veux vivre ni avec l'un ni avec l'autre, dit-elle.

C'était une chose horrible à dire de ses parents, mais Theo comprenait parfaitement. Il méprisait les parents d'April pour la manière dont ils la traitaient. Il les méprisait pour le chaos qu'était leur vie, pour leur négligence envers April, pour leur cruauté. Theo en voulait beaucoup à Mr et Mrs Finnemore. Il s'enfuirait plutôt que de devoir vivre avec eux. Il ne connaissait pas un seul jeune en ville qui ait jamais mis les pieds chez eux, d'ailleurs.

Le divorce en était à son troisième jour, et April allait bientôt être appelée à la barre pour témoigner. Le juge lui poserait la question fatidique :

— April, avec lequel de tes parents est-ce que tu veux vivre ?

April ne connaissait pas la réponse. Elle en avait discuté pendant des heures avec Theo, et elle ne savait toujours pas quoi répondre.

La grande question que se posait Theo, c'était : « Pourquoi veulent-ils la garde d'April, l'un comme l'autre ? » L'un comme l'autre, ils avaient manqué à leur devoir d'innombrables fois. Theo avait entendu bien des histoires, mais n'avait jamais rien répété.

— Qu'est-ce que tu vas dire ? demanda-t-il.

— Je vais dire au juge que je veux vivre avec ma tante Peg à Denver.

— Je croyais qu'elle avait dit non ?

— C'est vrai.

— Alors, tu ne pourras pas demander ça.

— Qu'est-ce que je peux demander, Theo ?

— Ma mère te dirait de choisir ta mère. Je sais que ce n'est pas ton premier choix, mais tu n'en as pas d'autre.

— Mais le juge peut faire ce qu'il veut, pas vrai ?

— C'est vrai. Si tu avais quatorze ans, tu pourrais prendre une décision contraignante. Comme tu n'en as que treize, le juge t'écoutera, mais c'est tout. D'après ma mère, ce juge ne donne presque jamais la garde au père. Joue la sûreté. Va avec ta mère.

April portait un jean, des chaussures de randonnée et un pull marin. Elle s'habillait rarement en fille, même si sa féminité était évidente. Elle essuya une larme, mais garda contenance.

— Merci, Theo.

— J'aimerais rester.

— Et moi, j'aimerais aller en cours.

Ils réussirent tous deux à rire, d'un rire forcé.

— Je penserai à toi. Sois courageuse.

— Merci, Theo.

Son juge préféré était l'Honorable Henry Gantry. Theo pénétra dans le bureau du grand homme à 8 h 20.

— Ah ! Theo, bonjour, dit Mrs Hardy, qui préparait ses dossiers en touillant son café.

— Bonjour, madame Hardy, dit Theo en souriant.

— Et qu'est-ce qui nous vaut l'honneur de ta visite ? demanda-t-elle.

Theo pensait qu'elle était un peu plus jeune que sa mère, et elle était très jolie. C'était sa préférée de toutes les secrétaires du tribunal. Sa greffière préférée était Jenny, aux Affaires familiales.

— J'ai besoin de voir le juge Gantry, dit-il. Il est là ?

— Euh, oui, mais il est très occupé.

— S'il vous plaît. Juste une minute.

Mrs Hardy prit une gorgée de café et demanda :

— C'est pour le grand procès de demain ?

— Oui, madame, c'est ça. J'aimerais que ma classe d'éducation civique puisse assister au premier jour du procès, mais je dois être sûr qu'il y aura assez de sièges.

— Ça, je ne sais pas, Theo, dit Mrs Hardy d'un air ennuyé. Nous attendons la foule. Ce sera très juste.

— Je peux parler au juge ?

— Vous êtes combien dans ta classe ?

— Seize. Je pensais qu'on pourrait peut-être s'installer au balcon.

L'air toujours préoccupé, Mrs Hardy prit le téléphone et appuya sur un bouton. Elle attendit une seconde puis demanda :

— Oui, monsieur le juge, c'est Theodore Boone qui voudrait vous voir. Je lui ai dit que vous étiez très occupé.

Elle écouta un instant, puis raccrocha.

— En vitesse, alors, dit-elle à Theo.

Quelques instants plus tard, Theo se trouvait devant le plus imposant bureau de la ville : une table couverte de papiers, de dossiers et de gros classeurs, un bureau qui représentait le pouvoir énorme du juge Henry Gantry, qui, à cet instant, ne souriait pas. En fait, Theo était sûr que le juge n'avait pas souri depuis qu'il l'avait interrompu dans son travail. Theo, en revanche, se força à un immense rictus métallique.

— Présente ton dossier, dit le juge Gantry.

Cet ordre, Theo avait entendu le juge le donner à de nombreuses reprises. Il avait vu des avocats, des bons, se lever et bafouiller, chercher leurs mots sous le regard courroucé du juge. Celui-ci ne semblait pas courroucé pour l'instant, il ne portait pas sa robe noire, mais il restait intimidant. Theo s'éclaircit la gorge – et il saisit une lueur révélatrice dans l'œil de son ami.

— Eh bien, monsieur, mon professeur d'éducation civique, Mr Mount, pense que le principal pourrait nous accorder une journée entière pour assister à l'ouverture du procès, demain.

Theo s'arrêta, inspira profondément, se répéta qu'il devait parler clairement, lentement et avec détermination, comme tous les grands avocats pénalistes.

— Mais il nous faut être sûrs d'avoir des sièges. Je pensais que nous pourrions nous asseoir au balcon.

— Ah, vraiment ?

— Oui, monsieur.

— Combien ?

— Seize, plus Mr Mount.

Le juge ouvrit un dossier et commença à lire comme s'il avait soudain oublié Theo, au garde-à-vous devant lui. Theo patienta quinze secondes, mal à l'aise. Tout à coup, le juge lança :

— Dix-sept sièges, premier rang du balcon, côté gauche. Je dirai à l'huissier de vous faire asseoir à 8 h 50, demain. Comportement irréprochable.

— Pas de problème, monsieur.

— Je demanderai à Mrs Hardy d'envoyer un mail à votre principal.

— Merci, monsieur le juge.

— Tu peux partir, Theo. Désolé d'être occupé à ce point-là.

— Pas de problème, monsieur.

Theo allait décamper quand le juge l'arrêta :

— Dis, Theo. Tu penses que Mr Duffy est coupable ?

Theo se retourna et répondit sans hésiter :

— Il est présumé innocent.

— Je sais. Mais quelle est ton opinion sur sa culpabilité ?

— Je pense qu'il est coupable.

Le juge hocha la tête, sans montrer s'il était d'accord ou pas.

— Et vous ? demanda Theo.

Enfin, le juge sourit.

— Je suis un arbitre équitable et impartial, Theo. Je n'ai aucune idée préconçue sur sa culpabilité ou son innocence.

— Je pensais bien que vous diriez ça.

— À demain.

Theo ouvrit la porte et sortit en vitesse.

Mrs Hardy, debout, les poings sur les hanches, fusillait du regard deux avocats intimidés qui demandaient à voir le juge. Tous trois se turent d'un coup en voyant Theo sortir du bureau du juge. Il sourit à Mrs Hardy.

— Merci, dit-il avant de disparaître.

2.

Il fallait un quart d'heure pour se rendre du tribunal au collège si l'on se déplaçait correctement, en respectant le code de la route et la propriété privée… En temps normal, c'était le cas de Theo, mais, cette fois-ci, il était un peu en retard. Il dévala Market Street à contresens, coupa un virage sous le nez d'une voiture et traversa un parking à toute allure, roulant sur tous les trottoirs, puis – l'infraction la plus grave – il prit une voie privée entre deux maisons d'Elm Street. Il entendit quelqu'un hurler derrière lui jusqu'au moment où il se retrouva en sûreté sur le parking des professeurs, derrière le collège. Il regarda sa montre : neuf minutes. Pas mal.

Il attacha son vélo à la barre près du drapeau, puis entra avec une nuée d'élèves qui descendaient du bus. La cloche de 8 h 40 sonnait quand il arriva pour l'appel ; il dit bonjour à Mr Mount. C'était son professeur d'éducation civique, mais aussi son conseiller pédagogique.

— Je viens de parler au juge Gantry, dit Theo au professeur – dont le bureau était nettement plus petit que celui du juge.

La salle bourdonnait du désordre matinal habituel. Les seize garçons de la classe étaient tous présents, et ils plaisantaient, rigolaient, s'agitaient et se poussaient à qui mieux mieux.

— Et ?

— J'ai eu les sièges.

— Excellent. Bien joué, Theo.

Mr Mount finit par restaurer l'ordre, fit l'appel et lut les annonces. Dix minutes plus tard, il envoya les élèves en cours d'espagnol avec Mrs Monique. Les garçons se mêlèrent aux filles dans les couloirs. Il y eut quelques tentatives d'approche maladroites. Pendant les cours, on « séparait les genres » (c'est-à-dire les garçons et les filles), selon de nouvelles règles adoptées par les têtes pensantes chargées de l'éducation pour tous les établissements scolaires de la ville. Le reste du temps, les « genres » avaient le droit de se fréquenter.

Mrs Monique était une dame de haute taille, originaire du Cameroun. Elle s'était installée à Strattenburg trois ans plus tôt quand son mari, également du Cameroun, avait commencé à enseigner les langues à l'université locale. Elle n'avait rien de l'enseignante de collège typique. Enfant, en Afrique, elle avait grandi en parlant le béti, la langue de son ethnie, ainsi que l'anglais et le français, les langues officielles du Cameroun. Son père, médecin, put l'envoyer étudier en Suisse, où elle apprit l'allemand et l'italien. Elle perfectionna son espagnol en étudiant dans une université de Madrid. Elle travaillait le russe, et avait l'intention de passer au mandarin. Sa classe était remplie de grandes cartes du monde colorées ; ses élèves croyaient qu'elle avait été partout, qu'elle avait tout vu et qu'elle savait tout parler. Le monde est vaste, leur répétait-elle, et, dans les autres pays, la plupart des gens parlent plus d'une langue. Ses élèves se concentraient sur l'espagnol, mais on les encourageait aussi à apprendre d'autres langues.

La mère de Theo étudiait l'espagnol depuis des années ; elle se souvenait aussi de nombreux mots et expressions appris quand elle était toute petite. Certains de ses clients venaient d'Amérique centrale ; quand Theo les voyait au bureau, il était prêt à leur parler. Ils trouvaient toujours cela mignon.

Mrs Monique lui avait déclaré qu'il avait une bonne oreille, et cela l'avait motivé pour étudier davantage. Les élèves, curieux, demandaient souvent à leur professeur de « dire quelque chose en allemand », de « parler en italien ». Elle acceptait, mais à condition que l'élève demandeur dise aussi quelques mots dans cette langue. Elle lui donnait alors des points en plus, suscitant l'enthousiasme. La plupart des garçons de la classe connaissaient quelques dizaines de mots en plusieurs langues. Aaron, qui avait une mère espagnole et un père allemand, était de loin le plus doué. Mais Theo était décidé à le rattraper. Après l'éducation civique, l'espagnol était sa matière préférée, et Mrs Monique était son professeur préféré, juste après Mr Mount.

Ce jour-là, pourtant, il eut du mal à se concentrer. Ils étudiaient les verbes espagnols – une corvée en temps normal et, de plus, Theo avait l'esprit ailleurs. Il s'inquiétait pour April, et la journée terrible qu'elle allait passer à la barre. Il n'arrivait même pas à s'imaginer une telle horreur : devoir choisir un parent de préférence à un autre. Et même quand il arrivait à oublier April un moment, il ne pensait qu'au procès pour meurtre et brûlait d'impatience, en attendant la journée de demain et les déclarations préliminaires des avocats.

La plupart de ses camarades rêvaient de grands matchs ou de concerts. Theo Boone, lui, vivait pour les grands procès.

Ensuite vint le cours de géométrie, avec Mrs Garman. Puis une courte récréation, dans la cour, et la classe revint chez Mr Mount pour la meilleure heure de la journée, du moins aux yeux de Theo. Mr Mount avait la trentaine. Il avait travaillé comme avocat pour une société gigantesque, dans un gratte-ciel de Chicago. Son frère était avocat. Son père et son grand-père avaient été juge et avocat. Mr Mount, pourtant, s'était lassé de la pression et des horaires à rallonge, et il avait tout bonnement démissionné. Il avait quitté ce monde d'argent pour une activité qu'il trouvait bien plus gratifiante. Il adorait enseigner, et même s'il se considérait encore comme un avocat, il estimait que la salle de classe était bien plus importante que la salle d'audience.

Comme il connaissait bien le droit, l'essentiel de son cours se passait en discussions sur les affaires judiciaires, les anciennes, celles en cours et même les cas fictifs vus à la télévision.

— Très bien, messieurs, commença-t-il.

Il leur disait toujours « messieurs » et, à treize ans, il n'y avait pas de plus grand compliment.

— Demain, je veux que vous soyez ici à 8 h 15. Nous prendrons le bus pour aller au tribunal et nous aurons largement le temps de nous installer. C'est une excursion autorisée par le principal, donc vous serez excusés auprès des autres professeurs. Apportez de quoi vous acheter à déjeuner. Nous irons chez Pappy. Des questions ?

Les jeunes « messieurs » étaient suspendus à ses lèvres, avec un enthousiasme unanime.

— Et nos sacs ? demanda quelqu'un.

— Non, répondit Mr Mount. On ne vous laissera rien emporter dans la salle. La sécurité sera stricte. Après tout, c'est le premier procès pour meurtre depuis longtemps. D'autres questions ?

— Il faut être habillé comment ?

Les regards se tournèrent vers Theo – y compris celui de Mr Mount. Il était connu que Theo passait plus de temps au tribunal que la plupart des avocats.

— Veste et cravate, Theo ? demanda Mr Mount.

— Non, non, pas du tout. On est bien comme ça.

— Parfait. D'autres questions ? Bien. J'ai demandé à Theo de nous présenter la scène de demain. La disposition de la salle, des acteurs... qu'on sache ce qui nous attend. Theo ?

Theo avait déjà connecté son ordinateur portable au vidéoprojecteur. Il s'avança et fit apparaître un grand schéma sur le tableau blanc.

— Voici la salle d'audience principale, déclara-t-il de sa plus belle voix d'avocat.

À l'aide d'un pointeur laser, il désigna le schéma.

— En haut, au milieu, la Cour. C'est là que le juge s'assoit et qu'il dirige le procès. Je ne sais pas pourquoi on l'appelle une cour. On dirait plutôt un trône. Enfin, c'est comme ça. Le juge, c'est Henry Gantry.

Theo appuya sur une touche et une photo grand format du juge apparut. Robe noire, visage sévère. Theo la réduisit, puis la posa au bon endroit. Une fois le juge en place, il reprit :

— Le juge Gantry occupe cette fonction depuis une vingtaine d'années. Il ne traite que d'affaires pénales. Il dirige ses audiences d'une main ferme et la plupart des avocats l'apprécient.

Theo désigna ensuite le centre de la salle :

— Voici le banc de la défense où Mr Duffy, l'homme accusé de meurtre, s'assiéra.

Theo fit apparaître une photo en noir et blanc tirée d'un journal.

— Voici Mr Duffy. Âgé de quarante-neuf ans, il était marié à Mrs Duffy qui est à présent décédée, et, comme nous le savons tous, Mr Duffy est accusé de l'avoir tuée.

Theo réduisit la photo et la déplaça sur le banc de la défense.

— Son avocat s'appelle Clifford Nance, c'est probablement le meilleur avocat de la défense dans cette partie de l'État.

Nance apparut sur un cliché en couleurs ; il arborait un costume sombre et un sourire forcé. Il avait de longs cheveux gris ondulés. Sa photo alla retrouver celle de son client.

— L'accusation se trouve à côté de la défense. Le procureur principal s'appelle Jack Hogan. On l'appelle aussi le *district attorney*.

La photo de Hogan apparut et alla se placer sur la table voisine de celle de la défense.

— Où est-ce que tu as trouvé ces photos ? demanda quelqu'un.

— Chaque année, le barreau des avocats publie un annuaire de tous les avocats et de tous les juges, répondit Theo.

— Et tu es dedans ?

Il y eut quelques gloussements.

— Non. Il y aura aussi d'autres avocats et assistants, pour l'accusation comme pour la défense. Cette zone est généralement pleine de gens. Là-bas, près de la défense, se trouve le banc du jury. Il comporte quatorze sièges – douze pour les jurés et deux pour les remplaçants. La plupart des États ont encore des jurys à douze personnes, mais il n'est pas rare que cet effectif varie. Quel que soit le nombre, le verdict doit être unanime, au moins dans les affaires pénales. On choisit des remplaçants si jamais un juré tombe malade, ou se fait excuser. Le jury a été choisi la semaine dernière, donc on ne sera pas obligés d'assister à ça. C'est une partie ennuyeuse du procès.

Le pointeur laser indiqua de nouveau la Cour. Theo reprit :

— Le greffier se tient ici. Il utilise une machine appelée sténotype. Ça ressemble à une machine à écrire, mais c'est très différent. Son travail est de noter tout ce qui se dit pendant le procès. Cela paraît impossible, mais il donne l'impression que c'est facile. Ensuite, il préparera ce qu'on appelle une transcription pour que les avocats et les juges aient un relevé de tous les débats. Certaines transcriptions font des milliers de pages.

Theo déplaça son pointeur.

— Ici, près du greffier, en contrebas du juge, c'est la barre des témoins, avec un siège. Chaque témoin doit s'y rendre et jurer de dire la vérité avant de s'y asseoir.

— Et nous, on s'assied où ?

Theo indiqua le milieu du schéma.

— Cela s'appelle la barre. Là encore, ne me demandez pas pourquoi. La barre, c'est une rampe qui sépare les spectateurs de la zone de procès. Il y a dix rangées de sièges avec une allée au milieu. Normalement, il y a plus de places qu'il n'en faut, mais ce procès sera différent.

Theo montra le fond de la salle.

— Là-haut, au-dessus des dernières rangées, il y a le balcon, avec trois grands bancs. On sera au balcon, mais ne vous inquiétez pas. On verra et on entendra tout.

— Des questions ? demanda Mr Mount.

Les élèves regardaient le schéma, bouche bée.

— Qui commence ? demanda l'un d'eux.

Tout en faisant les cent pas, Theo répondit :

— D'abord, c'est à l'État de prouver la culpabilité de l'accusé ; il doit donc présenter son dossier en premier. Demain matin, pour commencer, le procureur s'adressera aux jurés. Cela s'appelle la déclaration préliminaire. Il expose l'affaire. Puis l'avocat de la défense fera de même. Après cela, l'État commencera à appeler les témoins. Comme vous le savez, Mr Duffy est présumé innocent, donc l'État doit prouver sa culpabilité, et au-delà de tout doute raisonnable. Mr Duffy affirme qu'il est innocent, ce qui n'arrive pas souvent, en réalité. Environ quatre-vingts pour cent des personnes accusées de meurtre finissent par plaider coupable, parce qu'elles sont bel et bien coupables. Les autres vingt pour cent sont jugées dans un procès, et reconnues coupables à quatre-vingt-dix pour cent. Il est donc rare qu'un accusé de meurtre soit reconnu non coupable.

— Mon père pense qu'il est coupable, dit Brian.

— Pas mal de gens le pensent, répondit Theo.

— À combien de procès tu as assisté, Theo ?

— Je ne sais pas. Des dizaines.

Comme aucun autre élève de sa classe n'avait jamais vu de salle d'audience, c'était presque incroyable. Theo reprit :

— Pour ceux qui regardent beaucoup la télévision, ne vous attendez pas à du grand spectacle. Un vrai procès, c'est très différent, et pas du tout aussi palpitant. Il n'y a pas de témoin surprise, de confession dramatique, d'avocats qui se battent. Et, dans ce procès, il n'y a pas de témoin oculaire du meurtre. Cela signifie que tous les éléments à charge présentés par l'État seront circonstanciels. Ce mot, vous allez beaucoup l'entendre, en particulier dans la bouche de Mr Clifford Nance, l'avocat de la défense. Il va insister lourdement sur le fait que l'État n'a pas de preuve directe, que tout est circonstanciel.

— Je ne suis pas sûr de comprendre, dit un élève.

— Cela veut dire que les preuves sont indirectes, pas directes. Par exemple : tu es allé au collège à vélo, aujourd'hui ?

— Oui.

— Et ton vélo, tu l'as attaché près du drapeau ?

— Oui.

— Donc, quand tu sortiras de classe tout à l'heure, et que tu verras que ton vélo a disparu et que l'antivol a été coupé, tu auras la preuve indirecte qu'on t'a volé ton vélo. Personne n'a vu le voleur, donc il n'y a pas d'élément direct à charge. Disons que demain, la police retrouve ton vélo chez un prêteur sur gages de Raleigh Street, un magasin connu pour vendre des vélos volés. Le marchand donne un nom à la police, qui enquête et trouve un type qui a déjà volé des vélos. Alors, grâce à ces preuves indirectes, tu as de bonnes chances de démontrer que ce gars est ton voleur. Pas de preuves directes, mais circonstancielles.

Même Mr Mount écoutait d'un air approbateur. Il était conseiller pédagogique pour les débats en classe et, évidemment, Theodore Boone était sa star. Il n'avait jamais vu d'élève à l'esprit aussi vif.

— Merci, Theo, dit Mr Mount. Et merci aussi pour les sièges que tu as réussi à obtenir, ce matin.

— De rien, dit Theo avant de se rasseoir fièrement.

C'était une classe brillante d'une bonne école publique. Justin était de loin le meilleur athlète, même s'il ne nageait pas aussi vite que Brian. Ricardo les battait tous au golf et au tennis. Edward jouait du violoncelle, Woody de la guitare électrique, Darren de la batterie et Jarvis de la trompette. Joey avait le QI le plus élevé et les meilleures notes possible. Chase était le scientifique fou qui menaçait toujours de faire sauter le labo. Aaron parlait espagnol du côté de sa mère, allemand grâce à son père, et anglais, bien sûr. Brandon livrait les journaux tôt le matin, jouait en Bourse sur Internet, et avait prévu d'être le premier millionnaire du groupe.

Naturellement, il y avait deux asociaux complets et au moins un délinquant potentiel.

La classe avait même son avocat : une première pour Mr Mount.

Composé par Nord Compo Multimédia
7, rue de Fives, 59650 Villeneuve-d'Ascq

N° d'édition : 505/01 – N° d'impression :
Dépôt légal : novembre 2011

Imprimé au Canada par
Transcontinental Gagné